U0147644

近五十年台灣地區
修辭學研究論著目錄

（1949－2005）

溫光華　編

序例

一、「近五十年台灣地區修辭學研究論著目錄（1949－2005）」（以下稱本目錄），旨在彙整中華民國自一九四九年遷台後有關修辭學研究的整體成果。蒐集範圍主要限定如下：

(一) 本目錄所蒐集之「修辭學研究論著」，指漢語或中文修辭學爲主要論旨，且已公開出版或發表之學術論著，故凡英語、其他外語、外語翻譯及非語文相關領域之修辭研究論著，均不列入。

(二) 本目錄蒐集民國三十八（1949）年至九十四（2005）年之間，在台灣地區出版發行或公開發表之各類論著（包括專著、單篇論文、學位論文、報章專文、論文集等）。故本爲海外出版發行，但經台灣出版社翻印、取得授權出版者，或係海外人士在台灣地區發表者，均列入範圍。凡台灣地區人士於海外出版或於海外刊物發表者，概不採入。至於 2006 年以後之論著，僅就目前所見略予輯錄。

(三) 當前兩岸對於修辭學之研究趨勢，雖顯已朝向「廣義修辭學」（大修辭學）或所謂「辭章學」發展，唯本目錄爲體現台灣近五十年對修辭學認知的普遍性與傳統精神，並使蒐集焦點較爲集中，故屢經考量後，仍以狹義之修辭學爲主要採輯範圍，係針對標題有「修辭」者，或涉及修辭理論、辭格、字句修辭技巧爲主；至於有關篇章修辭或章法、結構、風格等研究，則不在採輯之列。唯以「修辭學」爲名的學術研討會論文集或專題論文性質之專著，則不以狹義修辭學爲限。

(四) 各專著、一般性論文集或學位論文中有部分內容相關者（如藝術手法、寫作技巧、表現藝術等），視實際相關程度酌予編入，唯大致以篇或章節爲準，屬於小節或以下者，則不採入。

二、為便於查檢，本目錄依論著主要性質予以分類，並依下列原則排列：

(一) 各類編排以專書在前，單篇論文在後爲原則，並依出版或發表先後爲序。

(二) 凡性質難分或兼論多種辭格者，視實際狀況同時歸入各類，號碼則不再另編。

(三) 屬於「辭格通論」性質之專著者，不再一一析出別裁；唯屬「修辭學論文集」、或屬論文集性質之專著，除擇要將各篇目條列於其下，另亦依其性質，將文集中條目盡量歸入各類。

(四) 論著爲作品某辭格分析者，歸入該辭格類下；屬作品修辭綜合分析者，則依古今文體性質分類歸入。

(五) 書序、書評、書介除另立一類外，另亦直接附在該書條目之下，於編碼前加＊以資區別，並便於檢閱。

三、本目錄之著錄方式，體例如下：(年代為求一致，一律以西元表示)

專著：作者、書名、出版地、出版者、出版年月版次。

專書部分章節：作者、章節名、書名、章節或頁次、出版地、出版者、出版年月版次。

單篇論文：作者、篇名、刊物名稱、卷期(總期數)、頁次、出版年月。

學位論文：作者、論文名稱、畢業校系所、畢業年度、指導教授。

學位論文部分章節：作者、章節名、論文名稱、章節、頁次、畢業校系所、畢業年度、指導教授。

四、本目錄附錄編有作者索引，可便於檢索某一作者之研究成果。

五、本目錄獲行政院國家科學委員會九十四年度專題研究計畫補助（NSC 94-2411-H-026-008），執行期間自民國九十四年八月至九十五年十二月，歷時約一年半。編輯期間，承蒙台灣師範大學國文學系陳滿銘教授、蔡宗陽教授等專家撥冗指導，提供寶貴諮詢及建議；並獲台灣師範大學國文學系博士班張淑萍同學、花蓮教育大學國教所碩士班董郁芬同學、中國語文學系古孟玄同學、慈濟大學碩士余威德先生，以及台灣師範大學林淑雲老師、汪文祺老師等鼎力協助，方能順利完成，一併致謝於此。唯經驗不足，時間、人力亦相當有限，採錄未盡周備或疏失之處勢必多有，尚請學界方家不吝指教，惠賜高見，以俾後續之增補修訂。

目次

一、

通論、綜合研究

0001　陳介白　修辭學講話
台北　啓明書局　1958 年 2 月台初版
台北　信誼書局　1978 年 7 月初版

0002　楊樹達　中國修辭學
台北　世界書局　1961 年 4 月初版（原上海世界書局 1933 年出版）
改名：漢文文言修辭學
台北　樂天書局　1972 年影印

0003　陳望道　修辭學釋例
台北　台灣學生書局　1963 年 10 月再版
修辭學發凡
台北　文史哲出版社　1989 年 1 月再版

0004　夏宇眾　修辭學大綱
馮長青影印發行　1967 年 4 月台一版

0005　傅隸樸　修辭學
台北　正中書局　1969 年 3 月台初版

*2135 金　劍　傅隸樸著「修辭學」簡介
中華日報　1974 年 2 月 4 日 5 版

0006　黃永武　字句鍛鍊法
台北　台灣商務印書館　1969 年 8 月初版
台北　洪範書店　1986 年 1 月增訂本初版

*2133 沈　謙　讀黃永武《字句鍛鍊法》
自由青年　43 卷 1 期　頁 96－99　1970 年 1 月

*2143 黃慶萱　攀登傳統修辭學的巔峰──黃永武《字句鍛鍊法》責任書評

聯合文學　2卷6期（總18）　頁154　1986年4月
與君細論文　頁274－275　台北　東大圖書公司　1999年3月初版

0007　張文治　古書修辭例
台北　中華書局　1971年3月台三版

0008　徐芹庭　修辭學發微
台北　中華書局　1971年3月初版

*2134 空　谷　徐芹庭著修辭學發微
中華日報　頁5　1971年4月26日

0009　宋文翰　國文修辭學
台北　新陸書局　1972年11月初版

0010　黃慶萱　修辭學
台北　三民書局　1975年1月初版　1986年12月增訂初版、2002年10月三版

*2136 思　兼（沈謙）　爲漢語修辭奠一新基——黃著修辭學評介
幼獅月刊　41卷5期（總269）　頁23－27　1975年5月
收入　黃慶萱　修辭學「附錄」　頁609－619　台北　三民書局　1986年12月增訂初版

*2137 王鼎鈞　開放的修辭學
中華日報副刊　1975年6月24日
收入　黃慶萱　修辭學「附錄」　頁601－602　台北　三民書局　1986年12月增訂初版

*2138 王熙元　修辭學領域的開拓——黃慶萱著修辭學評介
書評書目　28期　頁101－106　1975年8月
收入　黃慶萱　修辭學「附錄」　頁603－608　台北　三民書局　1986年12月增訂初版

*2140 高　明　黃著修辭學序
高明文輯（下）　頁451－453　台北　黎明文化事業公司　1978年3月初版

0011　張　嚴　修辭論說與方法
台北　台灣商務印書館　1975年10月初版

0012　黃基博　我教你修辭

台北　台灣文教出版社　1976年9月初版
高雄　台灣太陽城出版社　1977年4月初版

0013　金兆梓　實用國文修辭學
台北　文史哲出版社　1977年12月台一版

0014　林月仙　實用修辭學
台北　偉文圖書公司　1978年6月初版

0015　陳介白　修辭類說
台北　文史哲出版社　1980年9月再版

0016　董季棠　修辭學析論
台北　益智書局　1981年10月初版
台北　文史哲出版社　1992年6月增訂初版

0017　吳正吉　活用修辭
高雄　復文圖書出版社　1984年6月初版

*2142 李炳傑　語法與修辭——從《活用修辭》談起
中國語文　55卷6期（總330）　頁35－43　1984年12月

0018　黃維樑　清通與多姿——中文語法修辭論集
台北　時報文化事業　1984年10月初版

0019　高登偉　第一流的修辭法
台北　金陵文化事業公司　1985年6月初版

0020　陳姿蓉　中國語文特性造成文學遊戲性質之研究——從遊戲觀點探討運用中國語文特性的文學修辭現象
國立政治大學中國文學研究所碩士論文　1987年　簡宗梧指導

0021　路燈照、成九田　古詩文修辭例話
台北　台灣商務印書館　1987年10月初版

0022　蔡謀芳　表達的藝術——修辭二十五講
台北　三民書局　1990年12月初版

0023　沈　謙　修辭學（上、中、下）
台北　國立空中大學　1991年5月初版　1991年12月修訂再版

*2146 張春榮　傑作中的嚮導——評沈謙《修辭學》
明道文藝　192期　頁76－78　1992年3月
修辭萬花筒　頁87－90　台北　駱駝出版社　1996年9月初版

0024　黎運漢、張維耿編著　現代漢語修辭學
台北　書林出版社　1991 年 9 月初版（原由商務印書館香港分館 1986 年出版）

0025　王德春　妙語傳神——語用修辭技巧
台北　台灣商務印書館　1991 年 10 月台初版

0026　關紹箕　實用修辭學
台北　遠流出版公司　1993 年 2 月初版

0027　譚全基　修辭精華百例
台北　書林出版社　1993 年 5 月初版（原由香港金陵出版社 1987 年出版）

0028　譚全基　修辭新天地
台北　書林出版社　1993 年 5 月初版（原由香港金陵出版社 1988 年出版）

0029　成偉鈞、唐仲揚、向宏業　修辭通鑒
台北　建宏出版社　1996 年 1 月初版（原由北京中國青年出版社 1991 年出版）

0030　張至公　修辭概要
台北　書林出版社　1997 年 3 月一版（原由香港三聯書店 1994 年出版）

0031　吳禮權　中國現代修辭學通論
台北　台灣商務印書館　1998 年 7 月初版

0032　胡性初　修辭助讀
台北　書林出版社　1998 年 10 月初版（原由香港三聯書店 1993 年出版）

0033　黃麗貞　實用修辭學
台北　國家出版社　1999 年 3 月初版　2004 年 3 月增訂初版

*2156 張春榮　根茂實遂——黃麗貞《實用修辭學》
文訊　191 期　頁 30－31　2001 年 9 月
修辭新思維　頁 273－277　台北　萬卷樓圖書公司　2001 年 9 月初版

0034　黃省三　文法修辭學

台北　萬卷樓圖書公司　1999 年 7 月初版

0035　杜淑貞　現代實用修辭學

高雄　復文圖書出版社　2000 年 3 月初版

0036　何永清　修辭漫談　台北　台灣商務印書館　2000 年 4 月初版

1. 談口訣　頁 1－6
2. 談對偶　頁 7－10
3. 談回文　頁 11－14
4. 談借代　頁 15－18
5. 談節縮　頁 19－22
6. 談乘趣　頁 23
7. 談雙關　頁 24－27
8. 語文的雙關趣味　頁 28－29
9. 月份的代名　頁 30－33
10. 成語中的當句對　頁 34－36
11. 先秦書牘　見修辭　頁 37－44
12. 生活中語文修辭　頁 45－54
13. 諺語的修辭　頁 55－63
14. 語文與修辭　頁 64－66
15. 對聯與修辭　頁 67－71
16. 類疊修辭的對聯　頁 72－74
17.《昔時賢文》中的修辭　頁 75－81
18. 讀《昔時賢文》　頁 82－85
19.《孟子》中的映襯修辭　頁 86－90
20.〈國殤〉的修辭　頁 91－96
21.《世說新語》的修辭　頁 97－111
22.《四溟詩話》的修辭　頁 112－117
23.《平屋雜文》的修辭　頁 118－135
24.《小太陽》的修辭　頁 136－147
25.《生之歌》的修辭　頁 148－155
26.《靜思語錄》的修辭美　頁 156－159
27. 袁中郎〈西湖雜記〉修辭賞析　頁 160－166

28.〈哲學家皇帝〉修辭賞析　頁 167－171

0037　蔡宗陽　修辭學探微　台北　文史哲出版社　2001 年 4 月初版

1. 論修辭與文字的關係　頁 1－15
2. 論修辭與聲韻的關係　頁 17－28
3. 論修辭與訓詁的關係　頁 29－51
4. 論修辭與文法的關係　頁 53－69
5. 尙書之修辭藝術　頁 71－85
6. 詩經的「比」與修辭的關係　頁 87－99
7. 論語的修辭技巧　頁 101－134
8. 荀子的修辭技巧　頁 135－148
9. 楚辭的修辭手法　頁 149－162
10. 論譬喻的分類　頁 163－191
11. 論設問的分類　頁 193－217
12. 論引用的分類　頁 219－238
13. 論對偶的分類　頁 239－253
14. 海峽兩岸修辭研究的比較　頁 255－266
15. 海峽兩岸對偶的名稱與分類之比較　頁 267－291
16. 從修辭論中國文學的雅與俗　頁 293－310
17. 哈薩克族民歌的修辭技巧　頁 311－339
18. 維吾爾族民歌的修辭手法　頁 341－361
19. 仲華師論中國修辭學探析　頁 363－380
20. 新聞標題的修辭技巧　頁 381－400
21. 鄭子瑜先生論陳騤《文則》探析　頁 401－413
22. 與陳伯之書的修辭技巧　頁 415－426

0038　蔡宗陽　應用修辭學　台北　萬卷樓圖書公司　2001 年 5 月初版

1. 基礎篇
   辭格的辨析　頁 5－12
   兼格的修辭　頁 13－20
2. 理論與應用篇（上）
   譬喻的解說與活用　頁 22－45
   轉化的解說與活用　頁 45－51

0039　張春榮　修辭新思維　台北　萬卷樓圖書公司　2001 年　9 月初版

2. 執正馭奇——評斷修辭的三個標準　頁 23－39
3. 運用之妙——修辭的四大規律　頁 41－60
4. 語言藝術之花——辭格的交集　頁 61－75
5. 暗示藝術——借代、借喻、象徵　頁 79－91
6. 野徑通幽——雙關、反諷、婉曲　頁 93－105
7. 奇幻想像——誇飾、示現　頁 121－134
8. 亮麗樂章——對偶、映襯、排比　頁 135－146
9. 情感的最高音——抒情常見的修辭技巧　頁 149－155
10.荒謬的解藥——幽默常見的修辭技巧　頁 157－163
11.理性的呼聲——議論常見的修辭技巧　頁 165－171
12.天才的標幟——想像力的開發　頁 173－179
13.才氣的火花——比喻的妙用　頁 181－186
14.正確與精微——複詞的運用　頁 189－200
15.變化與統一——動詞的活用　頁 201－210
16.身段靈活的美容師——補詞與辭格　頁 211－231
17.經驗與價值的世界——判斷句與辭格　頁 233－257

*2159 王基倫　舉足涉水，已非前水——評張春榮《修辭新思維》
國文天地　17 卷 6 期（總 198）　頁 92－93　2001 年 11 月

*2160 何永清　中天懸明月——《修辭新思維》評介
中國語文　90 卷 1 期（總 535）　頁 93－95　2002 年 1 月

*2161 黃錦珠　縱深幅廣與變化精微——讀張春榮《修辭新思維》
文訊　198 期　頁 30－31　2002 年 4 月

*2162 鄭頤壽　漫步向「文藝辭章學」百花園的佳作——張春榮《修辭新思維》評介
國文天地　17 卷 11 期（總 203）　頁 72－74　2002 年 4 月

0040　劉蘭英、孫全洲　語法與修辭（上、下）
台北　新學識文教出版中心　2002 年 1 月三版

0041　陳正治　修辭學
台北　五南圖書出版公司　2003 年 5 月初版

0042　歐秀慧　語法與修辭——生活語言修辭應用
台北　新文京出版公司　2004 年 9 月

0043 高 明 中國修辭學研究（一）
中國語文 1卷1期 頁20－23 1952年4月

0044 高 明 中國修辭學研究（二）
中國語文 1卷2期 頁24－26 1952年5月

0045 高 明 中國修辭學研究（三）
中國語文 1卷3期 頁24－27 1952年6月

0046 高 明 中國修辭學研究（四）
中國語文 1卷4期 頁30－34 1952年7月

0047 高 明 中國修辭學研究（五）
中國語文 1卷5期 頁18－21 1952年9月

0048 高 明 中國修辭學研究（六）
中國語文 1卷6期 頁26－29 1952年10月

0049 高 明 中國修辭學研究（七）
中國語文 2卷1期 頁7－8 1953年1月

0050 高 明 中國修辭學研究（八）
中國語文 2卷2期 頁9－11 1953年2月

0051 高 明 中國修辭學研究（九）
中國語文 2卷3期 頁10－11 1953年3月

0052 高 明 中國修辭學研究（十）
中國語文 2卷4期 頁8－9 1953年4月

0053 高 明 中國修辭學研究（十一）
中國語文 2卷5期 頁10－12 1953年5月

0054 高 明 中國修辭學研究（十二）
中國語文 2卷6期 頁20－23 1953年7月

0055 虞君質 論文藝的藝術價值與修辭
文藝創作 26期 頁66－71 1953年6月
中國文選 93期 頁134－141 1975年1月

0056 張子靜 談修辭
中央日報 1953年12月8日6版

0057 介 白 論修辭學的實質與效用
國魂 280期 頁50－51 1969年3月

0058　黃　山　談現代修詞並舉例
中國語文　24 卷 5 期（總 143）　頁 10－13　1969 年 5 月

0059　黃慶萱　修辭學淺介
學粹　16 卷 1 期　頁 12－19　1974 年 3 月

0060　梁宜生　修辭與立誠
閱讀欣賞與寫作　台北　台灣學生書局　頁 113－117　1974 年 10 月台初版

0061　高　明　中國修辭學研究
中國語文　37 卷 2 期（總 218）　頁 83－92　1975 年 8 月

0062　高　明　中國修辭學研究（二）
中國語文　37 卷 4 期（總 220）　頁 10－17　1975 年 10 月

0063　高　明　中國修辭學研究（三）
中國語文　37 卷 5 期（總 221）　頁 11－22　1975 年 11 月

0064　段彩華　修辭學拾遺
中華日報　1976 年 1 月 14－16 日　11 版

0065　司農欣　國文修辭觀
台灣新聞報　1976 年 12 月 31 日 12 版

0066　黃慶萱　修辭學述要
國學研究論集　頁 93－95　台北　學海出版社　1977 年 11 月初版

0067　高　明　中國修辭學研究引言
高明文輯（下）　頁 339－346　台北　黎明文化事業公司　1978 年 3 月初版

0068　高　明　修辭總論
高明文輯（下）　頁 347－377　台北　黎明文化事業公司　1978 年 3 月初版

0069　魏子雲　論創作與鑑賞的修辭問題
國魂　393 期　頁 45－47　1978 年 8 月

0070　黃慶萱　修辭學導讀
國學導讀叢編（五）　頁 257－285　台北　康橋出版社　1979 年 4 月初版

0071　方　凡　淺談修辭十則

黃埔月刊　331 期　頁 26－27　1979 年 11 月

0072　張埠塘　文章的霓裳羽衣——修辭
中國語文　58 卷 3 期（總 345）　頁 66－69＋72　1986 年 3 月

0073　林啓明　文章的美容師——修辭
中國語文　60 卷 4 期（總 358）　頁 31－33＋81　1987 年 4 月

0074　吳正吉　人要衣裝佛要金裝——文辭的修飾和美化
文章賞析　附錄五　頁 321－324　台北　文津出版社　1987 年 6 月

0075　黃慶萱　修辭學問惑
國文天地　3 卷 4 期（總 28）　頁 15　1987 年 9 月

0076　魏靖峰　及早學修辭
中國語文　62 卷 1 期（總 367）　頁 58－62　1988 年 1 月

0077　周慶華　修辭如何可能
中央日報　1993 年 2 月 11 日
文苑馳走　頁 169－171　台北　文史哲出版社　2000 年 3 月初版

0078　黃慶萱　修辭學
國學導讀　第一冊　頁 601－652　台北　三民書局　1993 年 6 月初版

0079　翁以倫　巧笑倩兮話修辭——寫於練字篇之前
中央日報　1993 年 9 月 23 日 15 版

0080　何永清　生活中語文修辭例
中國語文　74 卷 4 期（總 442）　頁 71－77　1994 年 4 月

0081　楊石成　止於巧妙——修辭的境界
國語日報　1994 年 9 月 1 日 13 版

0082　潘麗珠　一條簡單的修辭公式
華文世界　74 期　頁 14－18　1994 年 12 月

0083　鄭子瑜　修辭的含義
中國修辭學的變遷　頁 50－57　台北　書林出版社　1996 年 5 月初版

0084　張春榮　修辭的進階
修辭萬花筒　頁 91－95　台北　駱駝出版社　1996 年 9 月初版

0085　張春榮　修辭三則
修辭萬花筒　頁108－114　台北　駱駝出版社　1996年9月初版

0086　張春榮　修辭的妙用——以作文題目「根」爲例
修辭萬花筒　頁115－118　台北　駱駝出版社　1996年9月初版

0087　馮廣藝　民俗與修辭
中國語文　80卷3期（總477）　頁78－81　1997年3月

0088　高振鐸　修辭
古籍知識手冊(2)古代漢語知識　第五章　頁415－432　台北　萬卷樓圖書公司　1997年8月初版

0089　彭嘉強　談文學語言的美質
中國語文　83卷3期（總495）　頁45－55　1998年9月

0090　姚友惠　幽默與修辭——以《中國歷代寓言選集》爲例
修辭論叢　第一輯　頁265－284　中國修辭學會、台灣師大國文系編　台北　洪葉文化事業公司　1999年8月初版

0091　何永清　生活中語文修辭
修辭漫談　頁45－54　台北　台灣商務印書館　2000年4月初版

0092　何永清　語文與修辭
修辭漫談　頁64－66　台北　台灣商務印書館　2000年4月初版

0093　趙　毅　修辭理解策略初探
修辭論叢　第二輯　頁385－406　中國修辭學會、高雄師大國文系編　台北　洪葉文化事業公司　2000年7月初版

0094　李名方　修辭學：言語表達學
修辭論叢　第二輯　頁431－435　中國修辭學會、高雄師大國文系編　台北　洪葉文化事業公司　2000年7月初版

0095　黎運漢　修辭與文化背景
修辭論叢　第二輯　頁487－513　中國修辭學會、高雄師大國文系編　台北　洪葉文化事業公司　2000年7月初版

0096　梁瓏常　漫談修辭學
中國語文　88卷5期（總527）　頁61－67　2001年5月

0097　童山東　論修辭效果的整體控制
修辭論叢　第三輯　頁190－206　銘傳大學應用中文系所、中國

修辭學會、中國語文學會編　台北　洪葉文化事業公司　2001 年 6 月初版

0098　譚德姿　語感特質解析
修辭論叢　第三輯　頁 152－162　銘傳大學應用中文系所、中國修辭學會、中國語文學會編　台北　洪葉文化事業公司　2001 年 6 月初版

0099　龐蔚群　修辭現象的分析、欣賞和評改
修辭論叢　第三輯　頁 1091－1108　銘傳大學應用中文系所、中國修辭學會、中國語文學會編　台北　洪葉文化事業公司　2001 年 6 月初版

0100　張春榮　運用之妙——修辭的四大規律
修辭新思維　頁 41－60　台北　萬卷樓圖書公司　2001 年 9 月初版

0101　張春榮　以簡御繁——修辭觀念的調整
國文天地　17 卷 4 期（總 196）　頁 91－96　2001 年 9 月
修辭新思維　頁 7－21　台北　萬卷樓圖書公司　2001 年 9 月初版

0102　張春榮　執正馭奇——評斷修辭的三個標準
國文天地　17 卷 5 期（總 197）　頁 88－92　2001 年 10 月
修辭新思維　頁 23－39　台北　萬卷樓圖書公司　2001 年 9 月初版

0103　黃維樑　文學最重要的幾種技巧
明道文藝　313 期　頁 120－128　2002 年 4 月

0104　張春榮　答「修辭三問」
國文天地　18 卷 2 期（總 206）　頁 100－101　2002 年 7 月

0105　張春榮　修辭會通——以「時間」爲題
明道文藝　331 期　頁 186－192　2003 年 10 月

0106　彭嘉強　修辭的漢文化蘊涵
中國語文　93 卷 5 期（總 557）　頁 42－54　2003 年 11 月

0107　林興仁　論修辭要善於傾聽
修辭論叢　第五輯　頁 902－911　中國修辭學會、台灣師大國文系編　台北　洪葉文化事業公司　2003 年 11 月初版

0108　黃慶萱　修辭學的定位、方式、與展望

修辭論叢　第六輯　頁 1－8　中國修辭學會、玄奘大學中文系編
台北　洪葉文化事業公司　2004 年 11 月初版

二、

修辭理論

㈠古代修辭理論

0109　黃永武　中國詩學——設計篇
台北　巨流圖書公司　1976 年 6 月初版

0110　吳禮權　中國修辭哲學史
台北　台灣商務印書館　1995 年 8 月初版

【文心雕龍方面】

0111　黃春貴　文心雕龍之創作論
台北　文史哲出版社　1978 年 4 月初版

0112　沈　謙　文心雕龍與現代修辭學
台北　益智書局　1990 年 6 月初版
台北　文史哲出版社　1992 年 5 月初版

*2145 蔡宗陽　古今合璧的專著——推介沈著《文心雕龍與現代修辭學》
中國語文　68 卷 3 期（總 405）　頁 77－82　1991 年 3 月

0113　廖玉蕙　文心雕龍的修辭方法論
東吳大學中國文學系系刊　3 期　頁 24－32　1977 年 6 月
中正嶺學術研究集刊　第 1 集　頁 152－164　1982 年 6 月

0114　徐麗霞　文心雕龍鍊字篇之修辭學考察
鵝湖月刊　30 卷 2－3 期　頁 35－39　1977 年 8－9 月
文心雕龍研究論文選粹　頁 492－506　台北　育民出版社　1980 年 9 月初版

0115　杜　若　文心雕龍的修辭論
台肥月刊　20 卷 5－6 期　1979 年 5－6 月

0116　王忠林　文心雕龍所述辭格析論
文心雕龍研究論文選粹　頁 507－539　台北　育民出版社　1980 年 9 月初版

0117　沈　謙　比興、夸飾、用典、隱秀——文心雕龍論修辭方法
幼獅學誌　16 卷 2 期　頁 36－54　1980 年 12 月

0118　蔡宗陽　劉勰文術論之修辭方法與經典關係
劉勰文心雕龍與經學　第八章第二節　頁 158－163　國立台灣師範大學國文研究所博士論文　1988 年　王更生指導

0119　胡仲權　文心雕龍修辭學之體系與價值
實踐學報　23 期　頁 225－251　1992 年 6 月

0120　胡仲權　試論文心雕龍之篇章修辭理論
實踐學報　24 期　頁 95－109　1993 年 6 月

0121　蔡宗陽　文心雕龍修辭理論對後世的影響
魏晉南北朝文學論集　頁 415－428　香港中文大學中國語言文學系編　台北　文史哲出版社　1994 年 11 月初版
文心雕龍探賾　頁 99－116　台北　文史哲出版社　2001 年 2 月初版

0122　李相馥　文心雕龍修辭論研究
中國文化大學中國文學研究所博士論文　1996 年　洪順隆指導

0123　何宗德　讀「文心雕龍・麗辭」篇
輔大中研所集刊　8 期　頁 239－251　1998 年 9 月

0124　李瑋娟　文心雕龍修辭理論研究
國立中山大學中國文學研究所碩士論文　2000 年　徐信義指導

0125　蔡宗陽　文心雕龍的修辭義
文心雕龍探賾　頁 151－166　台北　文史哲出版社　2001 年 2 月初版

0126　楊邦雄　文心雕龍創作論之運用研究——創作文章之修辭
文心雕龍創作論之運用研究　第四章　玄奘人文社會學院中國語文研究所碩士論文　2003 年　沈謙指導

0127　張少康　文學特徵和修辭方法——從《文心雕龍》的「隱秀」、「夸飾」說起
修辭論叢　第六輯　頁 30－39　中國修辭學會、玄奘大學中文系

編　台北　洪葉文化事業公司　2004年11月初版

【其他】

0128　饒宗頤　孔門修辭學
人生　14卷7期　頁16－17　1957年9月
文轍（上）——文學史論集　頁77－84　台北　台灣學生書局　1991年11月初版
饒宗頤二十世紀學術文集（十六）　卷十一・文轍新編　頁853－858　台北　新文豐出版公司　2003年10月初版

0129　史墨卿　孟子修辭觀
孔孟月刊　11卷3期　頁16－20　1972年11月

0130　萬子霖　先士修辭之比較研究——論命意與措詞
銘傳學報　12期　頁215－252　1975年3月

0131　萬子霖　先士修辭之比較研究（二）
銘傳學報　16期　頁297－328　1979年3月

0132　萬子霖　先士修辭之比較研究（續完）
銘傳學報　17期　頁285－308　1980年3月

0133　羅思美　章氏文學創作論——修辭
章實齋文學理論研究　第六章第四節　頁111－114　國立台灣師範大學國文研究所碩士論文　1976年　胡自逢指導
章實齋文學理論研究　第六章第四節　頁111－114　台北　台灣學生書局　1976年8月

0134　曹景雲　文天祥論修辭
中央月刊　11卷5期　頁133－135　1979年3月
中國文選　82期　頁75－77　1974年2月
中華文藝　5卷3期　頁98－100　1973年5月

0135　陳新雄　文則論
鍥不舍齋論學集　頁781－801　台北　台灣學生書局　1984年8月初版

0136　王妙櫻　王構修辭鑑衡研究
東吳大學中國文學研究所碩士論文　1987年　王更生指導

0137　司仲敖　性靈詩說底形式論——修辭、用典
隨園及其性靈詩說之研究　第七章第二、三節　頁 159－163　台北　文史哲出版社　1988 年 1 月初版

0138　鄭子瑜　汪中《釋三九》
鄭子瑜修辭學論文集　頁96－98　台北　書林出版社　1993 年2 月

0139　鄭子瑜　經傳談修辭
鄭子瑜修辭學論文集　頁45－66　台北　書林出版社　1993 年2 月

0140　蔡宗陽　文則論修辭的原則
陳騤文則新論　第五章　頁 151－208　台北　文史哲出版社　1993 年 3 月初版

0141　蔡宗陽　陳騤《文則》新論
中國語文　72 卷 5 期（總 431）　頁 63－65　1993 年 5 月

0142　李相馥　「言意之辨」的修辭學意義
華岡研究學報　2 期　頁(8)1－(8)21　1997 年 3 月

0143　何永清　四溟詩話的修辭論
四溟詩話研究　第五章　頁 237－286　國立台灣師範大學國文研究所博士論文　1998 年　黃錦鋐、蔡宗陽指導

0144　包根弟　〈詞概〉創作技巧論
紀念許世瑛先生九十冥誕學術研討會論文集　頁 177－192　國立台灣師範大學國文系等主編　台北　文史哲出版社　1999 年 6 月初版

0145　林淑貞　楊載《詩法家數》修辭理論抉微
修辭論叢　第一輯　頁 69－94　中國修辭學會、台灣師大國文系編　台北　洪葉文化事業公司　1999 年 8 月初版

0146　李金苓　北宋范溫修辭論
修辭論叢　第二輯　頁 469－485　中國修辭學會、高雄師大國文系編　台北　洪葉文化事業公司　2000 年 7 月初版

0147　蔡宗陽　鄭子瑜先生論陳騤《文則》探析
修辭學探微　頁401－413　台北　文史哲出版社　2001 年4 月初版

0148　魏王妙櫻　曾鞏之古文理論
修辭論叢　第三輯　頁 509－532　銘傳大學應用中文系所、中國

修辭學會、中國語文學會編　台北　洪葉文化事業公司　2001 年 6 月初版

0149　駱小所　莊子的修辭觀：美在自然樸素
中國語文　88 卷 6 期（總 528）頁 37－43　2001 年 6 月

0150　袁　焱　王充的修辭觀：文質相稱
修辭論叢　第三輯　頁 717－729　銘傳大學應用中文系所、中國修辭學會、中國語文學會編　台北　洪葉文化事業公司　2001 年 6 月初版

0151　錢奕華　修辭哲學中轉識成智過程之析論——以僧肇〈不真空論〉爲例
修辭論叢　第三輯　頁 1164－1187　銘傳大學應用中文系所、中國修辭學會、中國語文學會編　台北　洪葉文化事業公司　2001 年 6 月初版

0152　魏王妙櫻　王構之散文修辭理論
修辭論叢　第四輯　頁 437－477　中國修辭學會、輔仁大學中文系編　台北　洪葉文化事業公司　2002 年 6 月初版

0153　張秋娥　謝枋得評點中的修辭思想
國文學報　33 期　頁 125－163　2003 年 6 月

0154　張娣明　元好問「主壯美」的詩學觀研究
修辭論叢　第五輯　頁 537－567　中國修辭學會、台灣師大國文系編　台北　洪葉文化事業公司　2003 年 11 月初版

0155　林欣怡　從修辭角度出發之批評觀點——評王若虛《滹南詩話》
修辭論叢　第五輯　頁 706－727　中國修辭學會、台灣師大國文系編　台北　洪葉文化事業公司　2003 年 11 月初版

0156　蘇珊玉　試論「不隔」的修辭藝術與審美教育
修辭論叢　第五輯　頁 635－665　中國修辭學會、台灣師大國文系編　台北　洪葉文化事業公司　2003 年 11 月初版

0157　李惠綿　明代戲曲文律論之開展演變
台大中文學報　20 期頁 135－194　2004 年 6 月

0158　李惠綿　周德清北曲文律論析探
漢學研究　22 卷 1 期（總 44）　頁 159－190　2004 年 6 月

0159　程祥徽　孔子的言語學

修辭論叢　第六輯　頁179－185　中國修辭學會、玄奘大學中文系編　台北　洪葉文化事業公司　2004年11月初版

0160　鄭頤壽　先秦修辭雙向互動論
先秦兩漢學術研討會論文集　頁7－36　東吳大學中國文學系主編　2005年1月

(二)現代修辭理論

0161　蔡宗陽　仲華師論中國修辭學探析
中國學術研討會論文集——紀念高明先生八秩晉六冥誕　國立中央大學文學院中國文學系所主編　台北　大安出版社　1994年3月
修辭學探微　頁363－380　台北　文史哲出版社　2001年4月初版

0162　宗廷虎　葉聖陶論修辭與文章結構
中國現代文學理論　5期　頁82－90　1997年3月

0163　宗廷虎　朱自清的比喻理論
中國語文　81卷3期（總483）　頁43－47　1997年9月

0164　宗廷虎　錢鍾書修辭理論初探
修辭論叢　第一輯　頁285－313　中國修辭學會、台灣師大國文系編　台北　洪葉文化事業公司　1999年8月初版

0165　張煉強　有關語序修辭的幾個原則性的問題
修辭論叢　第三輯　頁1144－1163　銘傳大學應用中文系所、中國修辭學會、中國語文學會編　台北　洪葉文化事業公司　2001年6月初版

0166　駱小所　藝術語言：發話主體審美心理的外化
修辭論叢　第三輯　頁609－622　銘傳大學應用中文系所、中國修辭學會、中國語文學會編　台北　洪葉文化事業公司　2001年6月初版

0167　趙　毅　結構主義與現代漢語修辭學
修辭論叢　第四輯　頁 99－115　中國修辭學會、輔仁大學中文系編　台北　洪葉文化事業公司　2002年6月初版

0168　宗廷虎　秦牧論譬喻

中國語文　91 卷 6 期（總 546）　頁 86－92　2002 年 12 月

0169　徐紀芳　梁啓超「國風報・文苑詞」及其修辭之於創作試探
中國文化大學中文學報　8 期　頁 113－138　2003 年 3 月

0170　陳清美　朱自清修辭理論與實際
國立政治大學國文教學碩士班碩士論文　2004 年　蔡宗陽指導

0171　譚琳、向瓊整理　推陳創新語壇典範　博大精深三一特色──《王希杰修辭思想研究》及王希杰學術思想座談紀要
國文天地　20 卷 10 期（總 238）　頁 55－63　2005 年 3 月

0172　宗廷虎　朱光潛的文學、美學修辭論
陳滿銘教授七秩榮退誌慶論文集　頁 118－133　台北　萬卷樓圖書公司　2005 年 7 月

三、

修辭學史

0173　鄭子瑜　中國修辭學史
台北　文史哲出版社　1990 年 5 月初版

*2144 陳國球　古代修辭學的研究——評鄭子瑜《中國修辭學史稿》
鏡花水月——文學理論批評論文集　頁 173－192　台北　東大圖書公司　1987 年 12 月初版

0174　周振甫　中國修辭學史
台北　洪葉文化事業公司　1995 年 10 月初版（原由北京商務印書館 1991 年出版）

0175　鄭子瑜　中國修辭學的變遷　台北　書林出版社　1996 年 5 月初版
1. 中國修辭學的變遷　頁 1－49
2. 修辭的含義　頁 50－57
3. 修辭學與其他學科的關係　頁 58－62
4. 論照應　頁 63－71
5. 漢文特殊的修辭技巧　頁 72－86

0176　鄭子瑜　鄭子瑜修辭學論文集　台北　書林出版社　1993 年 2 月初版
1. 編寫《中國修辭學史稿》的體會　頁 1－22
2. 甲骨金文中談修辭記載的發現　頁 23－35
3. 從學習古代漢語的目的說到古漢語的修辭　頁 36－44
4. 台灣的修辭學研究　頁 160－171
5. 日本明治時代的修辭學研究　頁 172－185

0177　介　白　修辭學的變遷
國魂　283、284 期　頁 4　1969 年 6－7 月

0178　沈　謙　修辭學研究的回顧與展望
中國文哲研究的回顧與展望論文集　頁 281－302　台北　中央研

究院中國文哲研究所　1992 年 5 月
修辭方法析論　頁 355－387　台北　文史哲出版社　2002 年 10 月初版

0179　宗廷虎　十年來大陸的漢語修辭學
國文天地　8 卷 9 期（總 93）　頁 90－95　1993 年 2 月

0180　逸　廬　海峽兩岸的修辭學盛會
中國語文　72 卷 5 期（總 431）　頁 4－6　1993 年 5 月

0181　蔡宗陽　海峽兩岸修辭學研究的比較
華文世界　70 期　頁 1－6　1993 年 12 月
修辭通訊　第 1 期　頁 27－33　1999 年 6 月
修辭學探微　頁255－266　台北　文史哲出版社　2001年4月初版

0182　沈　謙　台灣修辭學研究的回顧與前瞻
華文世界　70 期　頁 7－16　1993 年 12 月
修辭通訊　2 期　頁 26－37　2000 年 6 月

0183　楊文雄　現代漢語修辭學研究方向之探討
成大中文學報　2 期　頁 141－156　1994 年 2 月

0184　林政華　修辭學史上若干推敲名例析釋
國語文教育通訊　9 期　頁 16－22　1994 年 12 月

0185　黃麗貞　現階段修辭學研究的擴展
高級中學國文、英文、物理、化學四科輔導資料彙編　頁 141－149　台北　國立台灣師範大學中等教育輔導委員會主編　1996 年 6 月初版

0186　加藤阿幸　日本的「修辭學發凡」以及「Rhetoric」的研究動向
修辭論叢　第一輯　頁 697－711　中國修辭學會、台灣師大國文系編　台北　洪葉文化事業公司　1999 年 8 月初版

0187　袁　暉　漫談九十年代台灣的修辭學研究
修辭論叢　第二輯　頁 453－468　中國修辭學會、高雄師大國文系編　台北　洪葉文化事業公司　2000 年 7 月初版

0188　鄭遠漢　修辭學流別論
修辭論叢　第二輯　頁 285－300　中國修辭學會、高雄師大國文系編　台北　洪葉文化事業公司　2000 年 7 月初版

0189　胡性初　談中國修辭思想萌芽期的論定
中國語文　88 卷 5 期（總 527）　頁 51－55　2001 年 5 月

0190　黃慶萱　修辭學的回顧與前瞻
修辭學　第四篇餘論　頁 849－917　台北　三民書局　2002 年 10 月增訂三版

0191　陳啓佑　講「兩岸修辭學研究概況」
師生論壇　1 期　頁 101－108　2003 年 5 月

0192　盧宗賢　從殷墟甲骨文論中國修辭萌芽
修辭論叢　第五輯　頁 666－690　中國修辭學會、台灣師大國文系編　台北　洪葉文化事業公司　2003 年 11 月初版

0193　鄭頤壽　陳望道先生修辭學思想的兩度飛躍——陳、張一致論
修辭論叢　第五輯　頁 912－923　中國修辭學會、台灣師大國文系編　台北　洪葉文化事業公司　2003 年 11 月初版

0194　沈　謙　修辭學國際學術研討會
中國語文　95 卷 5 期（總 569）　頁 4－6　2004 年 11 月

0195　鄭頤壽　辭章學及其新學科建設
修辭論叢　第六輯　頁 114－134　中國修辭學會、玄奘大學中文系編　台北　洪葉文化事業公司　2004 年 11 月初版

0196　王希杰　新世紀的修辭學——繼承和引進、創新和科學化
修辭論叢　第六輯　頁 9－29　中國修辭學會、玄奘大學中文系編　台北　洪葉文化事業公司　2004 年 11 月初版

0197　王希杰　修辭學和修辭學轉向
國文天地　21 卷 5 期（總 245）　頁 4－9　2005 年 10 月

0198　李名方　關於中國修辭學史的分期
國文天地　21 卷 7 期（總 247）　頁 68－74　2005 年 12 月

四、

修辭學家

0199　陳敬介　中國修辭學世界第一——專訪沈謙老師
修辭通訊　2期　頁23－25　2000年6月

0200　陳光磊　陳望道先生對修辭學的歷史貢獻
修辭論叢　第三輯　頁1109－1113　銘傳大學應用中文系所、中國修辭學會、中國語文學會編　台北　洪葉文化事業公司　2001年6月初版

0201　鄭垣玲　兼擅學術研究與文學創作的修辭學者——專訪黃麗貞教授
修辭通訊　3期　頁17－19　2001年6月

0202　聶　焱　王希杰的學術研究及其修辭思想研究現狀
國文天地　19卷12期（總228）　頁101－107　2004年5月
國文天地　20卷1期（總229）　頁99－105　2004年6月

五、

修辭技法與辭格

(一)修辭格定義

0203　王希杰　什麼是修辭格
中國語文　69 卷 4 期（總 412）　頁 34－38　1991 年 10 月

0204　沈　謙　「修辭格」辨義
國立空中大學人文學報　1 期　頁 1－14　1992 年 4 月
修辭方法析論　頁 1－24　台北　文史哲出版社　2002 年 10 月初版

(二)修辭技法通論

0205　徐芹庭　文章破題技巧及修辭方法之研究
台北　成文出版社　1976 年 6 月初版

*2139 胥端甫　徐芹庭「文章破題技巧及修辭方法」之研究
中華國學　1 卷 12 期　頁 51－54　1977 年 12 月

0206　張　亦　實用高級修辭典
台北　光華文化公司　1978 年 11 月初版

0207　張春榮　修辭散步　台北　東大圖書公司　1991 年 9 月初版
1. 剪不斷，理還亂，是離愁——虛實　頁 1－27
2. 苔痕上階綠，草色入簾青——描繪　頁 29－50
3. 如怨如慕，如泣如訴——博喻　頁 51－64
4. 憂能傷人——析詞　頁 65－80
5. 紅了櫻桃，綠了芭蕉——轉品　頁 81－93
6. 桃花潭水深千尺——夸飾　頁 95－108
7. 過盡千帆皆不是——借代　頁 109－121

8. 庭院深深深幾許——頂真　頁 123－145
9. 不盡長江滾滾來——疊字　頁 147－165
10. 自歌自舞自開懷——重出　頁 167－196
11. 信言不美，美言不信——回文　頁 197－212
12. 念天地之悠悠——音節　頁 213－220
13. 鎔成——從古典到現代　頁 221－234
14. 才下眉頭，卻上心頭——情景相對　頁 235－243
15. 大漠孤煙直——常字見巧　頁 245－251
16. 野渡無人舟自橫——反身性　頁 253－261
17. 不知東方之既白——否定句　頁 263－269
18. 載不動許多愁——鍊字　頁 271－280
19. 驚濤裂岸，捲起千堆雪——鍊字　頁 281－286

0208　沈　謙　修辭方法析論
台北　宏翰文化公司　1992 年 3 月出版
台北　文史哲出版社　2002 年 10 月初版
1. 修辭格辨義　頁 1－24
2. 比興之界義與原則　頁 25－64
3. 論博喻　頁 65－82
4. 論象徵　頁 83－140
5. 論隱秀　頁 141－260
6. 論夸飾　頁 261－283
7. 論偏義複詞　頁 285－297
8. 從譬喻論古詩十九首的藝術技巧　頁 299－320
9. 嫦娥奔月的象徵意義　頁 321－340
10. 從蜀道難論李白的夸飾　頁 341－354
11. 修辭學研究的回顧與展望　頁 355－387

*2150 王希杰　說沈謙教授的《修辭方法析論》
中國語文　81 卷 2 期（總 482）　頁 61－65　1997 年 8 月

0209　張春榮　一把文學的梯子　台北　爾雅出版社　1993 年 7 月初版
1. 所追求的只是「完」而不是「美」——析詞　頁 85－93
2. 生命有如神話世界裡的珍珠——比喻　頁 95－103

3. 山是凝固的波浪——相對的聯想　頁 105－118
4. 泥土與雙腳絮絮話舊——比擬　頁 119－132
5. 唯獨水照樣流著它千古的幽幽——疊字　頁 133－140
6. 眼睛看不到眼睛——重出　頁 141－152
7. 你以淚爲標點，點斷了我的渾沌——頂真　頁 153－165
8. 寂寞的充實，充實的寂寞——回文　頁 167－174
9. 在競綠賽青的千巖萬壑間——色彩　頁 175－183
10. 右腳踏著夏季，左腳正探向新秋——分寫　頁 185－194
11. 日光下澈，影布石上——細節　頁 195－205
12. 稻花香裡說豐年——示現　頁 207－228
13. 伸手抓起，竟是一把鳥聲——移覺　頁 229－239
14. 只有風和蚊子住在那裡——婉曲　頁 241－254
15. 世間有多少這樣的傻子——反諷　頁 255－272
16. 話多不如話少，話少不如話好——層遞　頁 273－288

0210　唐松波、黃建霖　漢語修辭格大辭典
台北　建宏出版社　1994 年 1 月初版（原由北京中國國際廣播出版社 1989 年出版）

0211　張春榮　修辭行旅　台北　東大圖書公司　1996 年 1 月初版
1. 知足者仙境，不知足者凡境——談二分法　頁 1－32
2. 他一生缺錢，但他沒缺過笑聲——談轉折　頁 33－50
3. 世味年來薄似紗——談比喻類型　頁 51－128
4. 喉嚨都要伸出手——談嘲諷與修辭　頁 129－137
5. 鳥鳴山更幽——談反襯　頁 139－148
6. 鄉夢窄，水天寬——談對偶　頁 149－222
7. 天知，神知，我知，子知——談排比　頁 223－249
8. 水中藻荇交橫，蓋竹柏影也——談錯覺　頁 251－263
9. 不敢下水的是陸游——談雙關　頁 265－278
10. 亢龍有悔——談析詞　頁 279－287
11. 話愈來愈少，話題卻愈來愈多——談一字之差　頁 289－301
12. 天外一鉤殘月帶三星——談析字　頁 303－315

0212　張春榮　修辭萬花筒　台北　駱駝出版社　1996 年 9 月初版

0213　蔡謀芳　辭格比較概述　台北　台灣學生書局　2001 年 8 月初版

11. 說「映襯」　頁 87－94
12.「誇飾」的對象與方法　頁 95－106
13. 排偶辭格的組成元素及其活動方式　頁 107－116
14. 論「層遞」——頂真筆法、排比句型　頁 117－123
15.「錯綜」之概念與名稱　頁 125－132
16. 引用典故　辭格比較概述　頁 133－144
17.「曲言」是一種綜合性辭格　頁 145－162
18.「警策」是一種綜合性辭格　頁 163－177
19. 文字節奏之調整　頁 179－192
20. 評述《修辭通鑑》的「變式比喻」　頁 193－214

0214　蔡謀芳　修辭格教本
台北　台灣學生書局　2003 年 9 月初版

0215　徐仲玉　論技巧
修辭學論叢　頁 110－130　台北　樂天出版社　1970 年 5 月初版

0216　介　白　化成法諸辭格
國魂　300 期　頁 46－49　1970 年 11 月

0217　介　白　表出法諸辭格（上）
國魂　301 期　頁 52－55　1970 年 12 月

0218　介　白　表出法諸辭格（下）
國魂　304 期　頁 49－51　1971 年 3 月

0219　介　白　布置法諸辭格
國魂　306 期　頁 31－37　1971 年 5 月

0220　王詩漁　漫談酒會與修辭的技巧
中國文選　65 期　頁 179－189　1972 年 9 月

0221　陳正治　常用的修辭法
國語日報　1972 年 12 月 28 日語文週刊版
國語日報　1973 年 1 月 4 日語文週刊版

0222　陳正治　介紹八種修辭法
國語日報　1976 年 11 月 4 日語文週刊版

0223　羅肇錦　相對的妙用——談修辭技巧之一
國文天地　2 卷 2 期（總 14）　頁 36－38　1986 年 7 月

言與思　參・修辭篇　頁 97－103　台北　萬卷樓圖書公司　1994 年 12 月初版

0224　羅肇錦　可逆的神奇——談修辭技巧之二
國文天地　2 卷 4 期（總 16）　頁 48－50　1986 年 9 月
言與思　參・修辭篇　頁 104－111　台北　萬卷樓圖書公司 1994 年 12 月初版

0225　羅肇錦　有無的互補——談修辭技巧之三
國文天地　2 卷 8 期（總 20）　頁 76－78　1987 年 1 月
言與思　參・修辭篇　頁 112－116　台北　萬卷樓圖書公司 1994 年 12 月初版

0226　羅肇錦　距離的運用——談修辭技巧之四
國文天地　3 卷 6 期（總 30）　頁 76－80　1987 年 11 月
言與思　參・修辭篇　頁 117－126　台北　萬卷樓圖書公司 1994 年 12 月初版

0227　羅肇錦　寓言的玄機——談修辭技巧之五
國文天地　3 卷 11 期（總 35）　頁 69－73　1988 年 4 月
言與思　參・修辭篇　頁 127－137　台北　萬卷樓圖書公司 1994 年 12 月初版

0228　沈謙主講　鍾麗如、蔡純純整理　「譬喻・對比・生動」：文學創作修辭三大原則
東海文藝季刊　23 期　頁 173－179　1987 年 3 月

0229　林清標　常用修辭技巧的妙用
怎樣作文——寫出好文章的技巧　頁 243－253　台北　文經社出版社　1993 年 1 月 1 版

0230　蔡宗陽　文則論修辭技巧
陳騤文則新論　第六章　頁 209－496　台北　文史哲出版社 1993 年 3 月初版

0231　蔡宗陽　中學修辭講座——辭格的辨析
國文天地　9 卷 3 期（總 99）　頁 96－99　1993 年 8 月
應用修辭學　第一章第一節　頁 5－12　台北　萬卷樓圖書公司 2001 年 5 月初版

0232　陸石誠　辭格與美學
中國語文　75卷3期（總447）　頁24－30　1994年9月

0233　鄭子瑜　漢文特殊的修辭技巧
中國修辭學的變遷　頁72－86　台北　書林出版社　1996年5月初版

0234　何永清　先賢書牘所見修辭例
中國語文　80卷1期（總475）　頁67－72　1997年1月
修辭漫談　頁37－44　台北　台灣商務印書館　2000年4月初版

0235　許清雲　修辭技巧
近體詩創作理論　第八章　頁359－381　台北　洪葉文化事業公司　1997年9月初版

0236　許華峰　文章修辭
創意與非創意表達　第二章第三節　頁85－109　淡江大學中國語文能力表達研究室編　台北　里仁書局　1997年10月初版、2002年8月增訂版

0237　熊　琬　措詞與修辭
文章結構學——文章運思結構之藝術　第二章　頁4－34　台北　五南圖書出版公司　1998年3月初版

0238　張春榮　笑看春風秋月——幽默常見的修辭技巧
幼獅文藝　552期　頁40－42　1999年12月

0239　張春榮　情感的最高音——抒情常見的修辭技巧
幼獅文藝　553期　頁38－41　2000年1月
修辭新思維　頁149－155　台北　萬卷樓圖書公司　2001年9月初版

0240　張春榮　理性的呼聲——議論常見的修辭技巧
幼獅文藝　554期　頁46－49　2000年2月
修辭新思維　頁165－171　台北　萬卷樓圖書公司　2001年9月初版

0241　濮　侃　漢語修辭格的發展和我們的新認識
修辭論叢　第二輯　頁847－854　中國修辭學會、高雄師大國文系編　台北　洪葉文化事業公司　2000年7月初版

0242　蔡宗陽　從修辭論中國文學的雅與俗
第二屆通俗文學與雅正文學全國學術研討會論文集　頁 163－182　國立中興大學中國文學系編　台北　新文豐出版股份有限公司　2001 年 2 月初版
修辭通訊　第 3 期　頁 20－31　2001 年 6 月
修辭學探微　頁 293－310　台北　文史哲出版社　2001 年 4 月初版

0243　李慕如　試由幽默文例析論其在文學創作中之表現技法──修辭巧
談幽默的說說寫寫　中篇　頁 100－114　高雄　高雄復文圖書出版社　2001 年 5 月初版

0244　蒲基維　談修辭格的聯貫作用（上）──以高中國文課文爲例
國文天地　16 卷 12 期（總 192）　頁 82－86　2001 年 5 月

0245　蒲基維　談修辭格的聯貫作用（下）──以高中國文課文爲例
國文天地　17 卷 1 期（總 193）　頁 90－93　2001 年 6 月

0246　張春榮　荒謬的解藥──幽默常見的修辭技巧
修辭新思維　頁 157－163　台北　萬卷樓圖書公司　2001 年 9 月初版

0247　蔡宗陽　「修辭格」的辨析原則與命題技巧
修辭論叢　第四輯　頁 33－49　中國修辭學會、輔仁大學中文系編　台北　洪葉文化事業公司　2002 年 6 月初版

0248　黃麗貞　並用圖解及敘述進行修辭分析初探
中國語文　91 卷 2 期（總 542）　頁 7－15　2002 年 8 月
實用修辭學　附錄六　頁 624－632　台北　國家出版社　1999 年 3 月初版　2004 年 3 月增訂初版

0249　江惜美　文章修辭篇
學好語文一○○招　第七章　頁 147－176　台北　台視文化事業公司　2003 年 1 月初版

0250　柯品文　各種修辭法的介紹與造句練習
創意作文寫作魔法書　頁 25－45　台北　聯合文學出版社　2005 年 9 月初版

㈢辭格研究

感嘆格

0256　黃蕙蘭等　國小國語課文感歎修辭實例研析
國教月刊　34卷5－6期　頁57－61　1987年12月

0257　董季棠　中學國文修辭講話——談感歎
中國語文　69卷2期（總410）　頁29－31　1991年8月

0258　楊鴻銘　顧炎武廉恥等文感歎論
孔孟月刊　33卷11期（總395）　頁52－53　1995年7月

0259　鄭同元　感嘆修辭教學探討
國語文教育通訊　12期　頁56－68　1996年6月

設問格

0260　黃慶萱　文學作品中的設問現象
學粹　16卷2期　頁14－18　1974年6月

0261　黃守誠　讓經典好「看」！：綜論「論語」一書的設問技巧
國魂　505期　頁36－40　1987年12月

0262　曾喜松等　國小國語課文設問修辭實例研析
國教月刊　34卷7－8期　頁57－61　1988年2月

0263　沈　謙　自問自答的「提問」
中國語文　68卷3期（總405）　頁27－35　1991年3月

0264　沈　謙　明知故問的「激問」
中國語文　68卷4期（總406）　頁34－39　1991年4月

0265　董季棠　中學國文修辭講話——談設問
中國語文　68卷6期（總408）　頁19－22　1991年6月

0266　黃守誠　論語修辭上的設問技巧
國教園地　46期　頁47－50　1993年6月

0267　蔡宗陽　中學修辭講座——設問的解說與活用
國文天地　9卷1期（總97）　頁110－119　1993年6月
應用修辭學　第二章第七節　頁 90－112　台北　萬卷樓圖書公

司　2001 年 5 月初版

0268　蔡宗陽　論設問的分類
陳伯元先生六秩壽慶論文集　頁 393－414　台北　文史哲出版社　1994 年 3 月初版
修辭學探微　頁 193－217　台北　文史哲出版社　2001 年 4 月初版

0269　楊鴻銘　蘇洵六國論等文設問論
孔孟月刊　33 卷 8 期（總 392）　頁 47－48　1995 年 4 月

0270　張清榮　談設問
巧思妙手織錦文（上）──各體文章寫作指導　頁 139－142　國立台灣師範大學人文教育研究中心主編　台北　幼獅文化事業公司　1997 年 10 月初版

0271　黃麗貞　「設問」修辭格
中國語文　83 卷 6 期（總 498）頁 20－30　1998 年 12 月

0272　林佳樺　屈賦中的「設問」修辭藝術（上）
中國語文　86 卷 6 期（總 516）　頁 59－70　2000 年 6 月

0273　林佳樺　屈賦中的「設問」修辭藝術（下）
中國語文　87 卷 1 期（總 517）　頁 52－60　2000 年 7 月

0274　林慧雅　論蘇軾散文的「設問」手法──以高中課文爲例
國文天地　17 卷 4 期（總 196）頁 24－29　2001 年 9 月

0275　李麗文　《詩經》十五國風「設問」探析
修辭論叢　第四輯　頁 373－390　中國修辭學會、輔仁大學中文系編　台北　洪葉文化事業公司　2002 年 6 月初版

0276　舒兆民　從語用面向分析中英「設問」修辭
修辭論叢　第四輯　頁 171－208　中國修辭學會、輔仁大學中文系編　台北　洪葉文化事業公司　2002 年 6 月初版

0277　蔡宗陽　海峽兩岸設問的異稱與分類之比較
修辭論叢　第五輯　頁 52－61　中國修辭學會、台灣師大國文系編　台北　洪葉文化事業公司　2003 年 11 月初版
孔仲溫教授逝世五週年紀念文集　頁 13－23　台北　台灣學生書局　2006 年 1 月初版

0278　施筱雲　「天問」之設問修辭探討

修辭論叢　第五輯　頁 483－504　中國修辭學會、台灣師大國文系編　台北　洪葉文化事業公司　2003 年 11 月初版

0279　仇小屏　論設問格中的「擬答」
中國語文　94 卷 1 期（總 559）　頁 27－30　2004 年 1 月

摹況格（摹狀、摹寫）

0280　稚　翰　研究摹聲字
中國語文　35 卷 1 期（總 205）　頁 36－37　1974 年 7 月

0281　黃慶萱　論「摹寫」
文藝復興　61 期　頁 40－51　1975 年 4 月

0282　李　鷹　摹聲文學的寫作技巧
中央日報　1976 年 12 月 18 日
國語文改進意見彙編　頁 745－759　台北　國立教育資料館　1980 年 3 月初版

0283　魏靖峰　以具體代抽象
中國語文　57 卷 2 期（總 338）　頁 70+87　1985 年 8 月

0284　林春蘭　杜詩中之摹寫藝術
中國語文　60 卷 6 期（總 360）　頁 68－75　1987 年 6 月

0285　黃麗貞　摹聲詞的運用
中國語文　68 卷 4 期（總 406）　頁 29－33　1991 年 4 月

0286　董季棠　中學國文修辭講話——談摹狀
中國語文　68 卷 5 期（總 407）　頁 20－23　1991 年 5 月

0287　蔡宗陽　中學修辭講座——摹寫的解說與活用
國文天地　9 卷 5 期（總 101）　頁 67－73　1993 年 10 月
應用修辭學　第二章第九節　頁 120－134　台北　萬卷樓圖書公司　2001 年 5 月初版

0288　楊鴻銘　白居易與元微之書等文摹寫論
孔孟月刊　33 卷 2 期（總 386）　頁 44－45　1994 年 10 月

0289　鄭同元　摹寫修辭教學探討
國語文教育通訊　11 期　頁 68－83　1995 年 12 月

0290　周碧香　元人散曲中的擬聲詞（上）

中國語文　80卷1期（總475）　頁48－52　1997年1月

0291　周碧香　元人散曲中的擬聲詞（中）
中國語文　80卷2期（總476）　頁58－65　1997年2月

0292　周碧香　元人散曲中的擬聲詞（下）
中國語文　80卷3期（總477）　頁57－61　1997年3月

0293　莊銀珠　以摹寫修辭為重點的寫作練習
國中作文教學設計活路——國三篇　第貳部分第一單元　頁23－27　高雄　復文圖書出版社　1997年5月初版

0294　張清榮　談摹狀
巧思妙手織錦文（上）——各體文章寫作指導　頁143－146　國立台灣師範大學人文教育研究中心主編　台北　幼獅文化事業公司　1997年10月初版

0295　蔡謀芳　表態句、摹狀格與描寫體
中國語文　82卷6期（總492）　頁29－35　1998年6月

0296　蔡謀芳　「摹狀」新議
中國語文　86卷5期（總515）　頁38－42　2000年5月
辭格比較概述　頁81－86　台北　台灣學生書局　2001年8月初版

0297　張娣明　最樸實的華麗美：陶淵明隱逸期詩作的「摹寫」與「象徵」探析
修辭論叢　第四輯　頁479－520　中國修辭學會、輔仁大學中文系編　台北　洪葉文化事業公司　2002年6月初版
仰看明月詩當枕——論中國古典詩　第六章　頁199－246　台北　萬卷樓圖書公司　2005年10月初版

0298　鄭嘉文　山水的遊覽，感官的饗宴——試論三袁遊記中的摹寫
修辭論叢　第五輯　頁300－333　中國修辭學會、台灣師大國文系編　台北　洪葉文化事業公司　2003年11月初版

移覺格（通感）

0299　范　通　感覺互通的修辭法
中國語文　49卷3期（總291）　頁33－34　1981年9月

0300　李元洛　五官的開放與交感——論詩的通感美
詩美學　頁515－562　台北　東大圖書公司　1990年2月初版

0301　張春榮　紅杏枝頭春意鬧——談移覺
明道文藝　197期　頁24－28　1992年8月

0302　張春榮　伸手抓起，竟是一把鳥聲——移覺
一把文學的梯子　頁229－239　台北　爾雅出版社　1993年7月初版

0303　黃麗貞　「移覺」和「通感」的區分
中國現代文學理論　1期　頁102－111　1996年3月

0304　張春榮　憑視覺便能聽見敲碎漫天玻璃的聲音——談移覺
修辭萬花筒　頁25－28　台北　駱駝出版社　1996年9月初版

0305　林莉翎　錢鍾書「通感說」申論
雲漢學刊　5期　頁151－166　1998年5月

0306　康雲山　審美通感與創意寫作——以詩歌爲例
國小作文教學與文化互動學術研討會論文集　頁155－170　國立花蓮師範學院語文教育學系編　1998年9月

0307　趙路得　李賀詩的通感效果
中國語文　94卷2期（總560）　頁70－79　2004年2月

0308　仇小屏　論移覺格中的「主要知覺」與「輔助知覺」
中國語文　94卷4期（總562）　頁22－27　2004年4月

0309　仇小屏　論「心覺」在通感中的作用
中國語文　94卷5期（總563）　頁14－19　2004年5月

0310　蘇珊玉　談「通感」修辭的文藝美感
修辭論叢　第六輯　頁701－719　中國修辭學會、玄奘大學中文系編　台北　洪葉文化事業公司　2004年11月初版

0311　趙路得　阮大鋮詩的通感效果——兼談李賀對其詩的影響
東方人文學誌　4卷1期　頁65－96　2005年3月

仿擬格

0312　莊銀珠　文言文仿擬練習——用仿擬修辭法寫文章
國中作文教學設計活路——國二篇　第貳部分第十九單元　頁132－136　高雄　復文圖書出版社　1997年1月初版

0313　黃麗貞　活用現成的「仿擬」修辭

中國現代文學理論 12 期　頁 484－502　1998 年 12 月

0314　甘漢銓　從鐵達尼到金達尼——譯音仿詞例
修辭論叢　第一輯　頁 397－411　中國修辭學會、台灣師大國文系編　台北　洪葉文化事業公司　1999 年 8 月初版

0315　陳正治　仿擬修辭法概論
中國語文　88 卷 2 期（總 524）　頁 39－49　2001 年 2 月

0316　黃麗貞　從〈陋室銘〉的仿作談「仿擬」修辭法的運用規範
中國語文　90 卷 6 期（總 540）　頁 7－19　2002 年 6 月
修辭論叢　第四輯　頁 269－282　中國修辭學會、輔仁大學中文系編　台北　洪葉文化事業公司　2002 年 6 月初版

0317　黃麗貞　仿擬修辭法的運用規範
實用修辭學　附錄五　頁 609－623　台北　國家出版社　1999 年 3 月初版　2004 年 3 月增訂初版

0318　徐國珍　論仿擬的口語交際功能
中國語文　97 卷 4 期（總 580）　頁 62－68　2005 年 10 月

引用格（用典）

0319　劉北峰　詩歌的用典
公論報　1950 年 2 月 27 日 8 版

0320　許世瑛　「用典」和「注釋」
大陸雜誌　1 卷 2 期　頁 15－17　1950 年 7 月
許世瑛先生論文集　頁 899－904　台北　弘道文化事業有限公司　1974 年 8 月初版

0321　齊如山　論編劇用典的時間性
文藝創作　62 期　頁 4－5　1956 年 6 月 1 日

0322　陳淑美　稼軒詞用典分析
國立台灣大學中國文學研究所碩士論文　1966 年　鄭騫指導

0323　成惕軒　中國文學裏的用典問題
東方雜誌　1 卷 11 期　頁 92－95　1968 年 5 月
文學彙刊　1 期　頁 1－5　1968 年
中國文選　69 期　頁 152－160　1973 年 1 月

中華詩學　13 卷 2 期　頁 4－10　1976 年 12 月
汲古新議續集　頁 76－85　台北　台灣商務印書館　1981 年 3 月初版

0324　陳少華　論詩之用典
詩學集刊　頁 470－474　國立台灣師範大學國文系　1969 年 5 月

0325　陳弘治　用典第十五
詞學今論　頁 226－232　台北　文津出版社　1971 年 10 月初版　1991 年 7 月增訂二版

0326　周紹賢　用典
中國文學論衡　21 章　頁 260－266　台北　文景出版社　1975 年 3 月初版

0327　羅　青　用典的研究（談文學革命）
書評書目　38 期　頁 98－107　1976 年 6 月

0328　沈秋雄　試論李義山詩的用典
中華文化復興月刊　10 卷 4 期　頁 34－40　1977 年 4 月
李商隱詩研究論文集　頁 617－639　國立中山大學中文學會編　台北　天工書局　1984 年 9 月初版
詩學十論　頁 83－110　台北　文史哲出版社　1993 年 3 月初版

0329　蔡宗陽　引用法的修辭
文燈──文章作法講話　頁 88－90　台北　國語日報社　1977 年 11 月 1 版

0330　蘇文擢　古典詩用典的原則與方法
邃加室講論集　頁 353－368　台北　文史哲出版社　1983 年 1 月初版、1985 年 10 月增訂再版

0331　夏瞿禪　宋詞用典舉例
唐宋詞欣賞　頁 75－80　台北　文津出版社　1983 年 10 月初版

0332　艾治平　關於用典
古典詩詞藝術探幽　頁 372－379　台北　學海出版社　1984 年 10 月初版
古典詩詞藝術探幽　頁 360－366　台北　木鐸出版社　1987 年 7 月初版

0333　徐鳳城　杜甫律詩之用事用典
杜甫律詩研究　第七章　頁 122—127　國立台灣師範大學國文研究所碩士論文　1985 年　李殿魁指導

0334　李光哲　謝靈運詩用典考論
國立台灣大學中國文學研究所碩士論文　1986 年　林文月指導

0335　陳勝長　李義山詩中所見之莫愁：兼論詩人用典之靈活性
古典文學　8 期　頁 159－176　1986 年 4 月

0336　郭玉雯　哀江南賦的結構與用典
台北師專學報　13 期　頁 67－93　1986 年 6 月

0337　顏崑陽　論詩歌用典的價值與方式
南廬詩刊　9 期　頁 20－24　1986 年 7 月

0338　林春蘭　論杜詩之用典
中國語文　59 卷 5 期（總 353）　頁 49－55　1986 年 11 月

0339　鍾金樹等　國小國語課文引用修辭實例研析
國教月刊　34 卷 9－10 期　頁 62－64　1988 年 4 月

0340　劉漢初　詩詞中「語典」的效用釋例
台北師院學報　1 期　頁 417－426　1988 年 6 月

0341　梅家玲　世說新語名士言談中的用典技巧
台大中文學報　2 期　頁 341－376　1988 年 11 月

0342　倪豪士　「南柯太守傳」的語言、用典和外延意義
中外文學　17 卷 6 期　頁 54－79　1988 年 11 月

0343　胡仲權　由反用典角度探索李義山詩的藝術特色
中華文化復興月刊　22 卷 6 期　頁 33－39　1989 年 6 月

0344　陳慶煌　詞用典的原則、方法及例釋
中華詩學　6 卷 4 期　頁 1－6　1989 年 8 月
揚芬集　頁 161－183　台北　中華民國詩書畫家協會　1990 年 5 月

0345　陳慶煌　詞要如何用典
國文天地　5 卷 3 期（總 51）　頁 90－93　1989 年 8 月

0346　林嵩山　談傳統詩的用典
台灣區省市立師範學院七十八學年度中國語文研習會報告書　頁 97－101　省立花蓮師範學院　1990 年 2 月

0347 楊鴻銘 酈道元水經江水注等文引說論
孔孟月刊 28卷7期（總331） 頁48－49 1990年3月

0348 陳慶煌 詞何以要用典
國文天地 5卷12期（總60） 頁89－90 1990年5月

0349 杜松柏 用典
詩與詩學 陸・作法 頁197－207 台北 洙泗出版社 1990年12月初版

0350 陳慶煌 詞的用典與感懷
詩詞曲的研究 頁344－364 中華文化復興運動推行委員會 1991年2月初版

0351 董季棠 中學國文修辭講話──談引用
中國語文 69卷6期（總414） 頁20－22 1991年12月

0352 高莉芬 元嘉詩人用典研究
國立政治大學中國文學研究所博士論文 1992年 羅宗濤、齊益壽指導

0353 蔡宗陽 中學修辭講座──引用的解說與活用
國文天地 9卷6期（總102） 頁69－74 1993年11月
應用修辭學 第二章第六節 頁80－90 台北 萬卷樓圖書公司 2001年5月初版

0354 鄭同元 引用修辭的教學探究
國語文教育通訊 8期 頁36－43 1994年6月

0355 蔡宗陽 論引用的分類
國文學報 23期 頁251－272 1994年6月

0356 高莉芬 元嘉詩人用典繁盛原因之省察
語文學報（國立新竹師院） 第1期 頁80－123 1994年6月

0357 曹淑娟 宋詞中詩典運用之類型析論
國立編譯館館刊 23卷2期 頁119－144 1994年12月

0358 洪秀萍 清代詩話用事理論研究
逢甲大學中國文學研究所碩士論文 1995年 林聰明指導

0359 黃麗貞 元雜劇中的典故
中國語文 80卷3期（總477） 頁18－24 1997年3月

0360　莊銀珠　以引用、舉證爲重點的寫作練習
國中作文教學設計活路──國三篇　第貳部分第四單元　頁 40－45　高雄　復文圖書出版社　1997 年 5 月初版

0361　許清雲　用典
近體詩創作理論　第五章　頁 211－228　台北　洪葉文化事業公司　1997 年 9 月初版

0362　徐亞萍　淺談遺山論詩絕句之十二「獨恨無人作鄭箋」──兼論義山詩歌之用典
問學　2 期　頁 87－105　1998 年 7 月

0363　林童照、吳時春　南朝寒人崛起與用典隸事文體興盛之一考察
高苑學報　7 卷 2 期　頁 257－263　1998 年 8 月

0364　周益忠　論西崑體的用典與其展現的意義
西崑研究論集　頁 305－398　台北　台灣學生書局　1999 年 3 月初版

0365　段致平　稼軒詞用典研究
國立台灣師範大學國文研究所碩士論文　1999 年　陳滿銘指導

0366　李卓藩　論稼軒詞的用典技巧
稼軒詞探賾　第五章　頁 172－223　台北　天工出版社　1999 年 10 月初版

0367　劉德玲　試析文心雕龍事類篇
錢穆先生紀念館館刊　第 7 期　頁 118－127　1999 年 12 月

0368　羅鳳珠　晁補之詩詞用典方式初探
第五屆中國詩學會議論文集　頁 31－57　國立彰化師範大學國文系主編　2000 年 10 月

0369　趙公正　引用的作文法──以「文天祥從容就義的評價」爲例
中國語文　87 卷 5 期（總 521）　頁 39－43　2000 年 11 月

0370　林素美　庾信賦篇用典之研究
文化大學中國文學研究所碩士在職專班論文　2001 年　黃水雲指導

0371　吳榮富　李商隱詩用典析疑
國立成功大學中國文學研究所博士論文　2001 年　梁冰枬指導

0372　林建勳　古典詩中「翻用」典實的研究
文藻學報　15 期　頁 73－82　2001 年 3 月

0373　蔡宗陽　論引用的分類
修辭學探微　頁 219－238　台北　文史哲出版社　2001 年 4 月初版

0374　李升薰　從曹植的詩看典故使用的意義
修辭論叢　第三輯　頁 383－393　銘傳大學應用中文系所、中國修辭學會、中國語文學會編　台北　洪葉文化事業公司　2001 年 6 月初版

0375　蔡謀芳　引用典故
辭格比較概述　頁 133－144　台北　台灣學生書局　2001 年 8 月初版

0376　陳秀娟　東坡詞用典研究
國立台灣師範大學國文研究所碩士論文　2002 年　陳滿銘指導

0377　劉麗卿　清代台灣八景詩使用的典故
清代台灣八景與八景詩　附錄三　頁 394－398　台北　文津出版社　2002 年 4 月初版

0378　劉昭仁　張純甫詩的「引用」修辭
修辭論叢　第四輯　頁 521－571　中國修辭學會、輔仁大學中文系編　台北　洪葉文化事業公司　2002 年 6 月初版

0379　陳忠信　「論讀書」「生也有涯，而知也無涯」引用修辭法之商榷
中國語文　92 卷 1 期（總 547）　頁 92－97　2003 年 1 月

0380　林淑貞　魏徵「述懷」用典之美感意涵
國文天地　19 卷 1 期（總 217）　頁 49－52　2003 年 6 月

0381　許文齡　李漁《十二樓》中「引用」之探析
修辭論叢　第五輯　頁 1194－1213　中國修辭學會、台灣師大國文系編　台北　洪葉文化事業公司　2003 年 11 月初版

0382　張雅惠　杜牧詩用典研究
國立台灣師範大學國文教學碩士班碩士論文　2004 年　潘麗珠指導

0383　吳榮富　李商隱與女道士之糾葛辯誣——從史實與用典兩方面的考察
成大宗教與文化學報　3 期　頁 131－203　2004 年 6 月

0384　黃素卿　陶潛五言詩用典修辭探討
修辭論叢　第六輯　頁 571－589　中國修辭學會、玄奘大學中文系編　台北　洪葉文化事業公司　2004 年 11 月初版

0385　仇小屏　略論新詩中「用典」的技巧
中國語文　95 卷 6 期（總 570）　頁 60－65　2004 年 12 月

0386　張貴松　析論李商隱詩中的用典意識
雲漢學刊（成功大學）　12 期　頁 209－221　2005 年 7 月

0387　張仁青　庾信詩文之用典藝術
魏晉六朝學術研討會論文集　頁 285－316　東吳大學中國文學系編印　2005 年 9 月

藏詞格

0388　楊鴻銘　司馬光訓儉示康等文藏詞論
孔孟月刊　28 卷 11 期（總 335）　頁 52－53　1990 年 7 月

0389　黃麗貞　「藏詞」和「譬解語」要分做兩個辭格
中國現代文學理論　6 期　頁 195－208　1997 年 6 月

0390　魏聰祺　藏詞分類及其辨析
台中師院學報　18 卷 2 期　頁 101－124　2004 年 12 月

飛白格

0391　一　介　唸白字和飛白
中國語文　69 卷 6 期（總 414）　頁 23－27　1991 年 12 月

0392　董季棠　中學國文修辭講話——談飛白
中國語文　72 卷 4 期（總 430）　頁 30－32　1993 年 4 月

0393　黃麗貞　飛白修辭格
中國語文　75 卷 3 期（總 447）　頁 18－23　1994 年 9 月

析字格、析詞格

0394　陳姿蓉　拆拼離合與析字——兼論謎隱的文學遊戲性質
光武學報　15 期　頁 313－322　1990 年 5 月

0395　張春榮　憂能傷人——析詞

修辭散步　頁 65－80　台北　東大圖書公司　1991 年 9 月初版

0396　張春榮　所追求的只是「完」而不是「美」——析詞
中央日報　1992 年 2 月 25 日 15 版
一把文學的梯子　頁 85－93　台北　爾雅出版社　1993 年 7 月初版

0397　張春榮　天外一鉤殘月帶三星——談析字
明道文藝　195 期　頁 17－21　1992 年 6 月
修辭行旅　頁 303－315　台北　東大圖書公司　1996 年 1 月初版

0398　張春榮　別解與趣味——析詞
中央日報　1994 年 1 月 13 日 15 版

0399　張春榮　亢龍有悔——談析詞
修辭行旅　頁 279－287　台北　東大圖書公司　1996 年 1 月初版

0400　彭雅琪　我猜我猜我猜猜——析字格謎語大集合
中國語文　83 卷 2 期（總 494）　頁 88－92　1998 年 8 月

0401　黃麗貞　「析字」修辭格
中國語文　84 卷 1 期（總 499）　頁 27－39　1999 年 1 月

0402　王昌煥　析詞玩字趣味多
翰林文苑天地　6 期　2001 年 5 月

0403　陳霖慶　談「諧音析字」中的「借音」——從胡適「母親的教誨」說起
中國語文　94 卷 4 期（總 562）　頁 47－52　2004 年 4 月

轉品格

0404　黃慶萱　漢語中的轉品現象
文藝復興　50 期　頁 37－43　1974 年 3 月

0405　鄭韻蘭　漢語轉品研究
台中商專學報　12 期　頁 73－109　1980 年 6 月

0406　張曉風　轉品的例——新舊詩共同的修辭方式之一
書和人　428 期　頁 1－6　1981 年 11 月

0407　林春蘭　杜詩中之轉品運用
中國語文　60 卷 1 期（總 355）　頁 71－74　1987 年 1 月

0408　張春榮　紅了櫻桃，綠了芭蕉——談詞性活用
明道文藝　166 期　頁 29－31　1990 年 1 月

0409　張春榮　紅了櫻桃，綠了芭蕉——轉品
修辭散步　頁 81－93　台北　東大圖書公司　1991 年 9 月初版

0410　董季棠　中學國文修辭講話——談轉品
中國語文　69 卷 4 期（總 412）　頁 30－33　1991 年 10 月

0411　楊鴻銘　韓愈師說等文轉品論
孔孟月刊　33 卷 4 期（總 388）　頁 51－52　1994 年 12 月

0412　黃麗貞　意義豐贍雋永的「轉品」修辭
中國現代文學理論　2 期　頁 257－269　1996 年 6 月

0413　王昌煥　詞類靈變，匠心獨運——利用「轉品」來創作（1）
明道文藝　332 期　頁 186－193　2003 年 11 月

0414　王昌煥　詞類靈變，匠心獨運——利用「轉品」來創作（2）
明道文藝　333 期　頁 188－194　2003 年 12 月

0415　王昌煥　詞類靈變，匠心獨運——利用「轉品」來創作（3）
明道文藝　334 期　頁 184－191　2004 年 1 月

0416　王昌煥　詞類靈變，匠心獨運——利用「轉品」來創作（4）
明道文藝　335 期　頁 182－190　2004 年 2 月

婉曲格

0417　虞君質　語言的暗示性
中國語文　3 卷 3 期　頁 23－28　1958 年 9 月

0418　吳戰壘　詩的含蓄美
詩文鑒賞方法二十講　頁 71－74　台北　木鐸出版社　1987 年 7 月初版

0419　李元洛　尊重讀者是一門藝術——論詩的含蓄美
詩美學　頁 475－0513　台北　東大圖書公司　1990 年 2 月初版

0420　林覺中　談含蓄
文章礎石及其他　頁 35－38　台北　文津出版社　1990 年 11 月初版

0421　杜松柏　曲達
詩與詩學　陸・作法　頁 151－154　台北　洙泗出版社　1990 年 12 月初版

0422　張春榮　落花時節又逢君──談婉曲
明道文藝　190 期　頁 54－59　1992 年 1 月

0423　張春榮　只有風和蚊子住在那裡──婉曲
中央日報　1992 年 1 月 28 日 15 版
一把文學的梯子　頁 241－254　台北　爾雅出版社　1993 年 7 月初版

0424　董季棠　中學國文修辭講話──談曲繞
中國語文　72 卷 5 期（總 431）　頁 27－29　1993 年 5 月

0425　林韻梅　質樸與婉曲──談詩的情感表現
中國語文　73 卷 6 期（總 438）　頁 61－65　1993 年 12 月

0426　楊鴻銘　左傳燭之武退秦師等文婉曲論
孔孟月刊　33 卷 7 期（總 391）　頁 47－48　1995 年 3 月

0427　郭娟玉　從婉曲修辭淺論婉約詞之藝術技巧
大陸雜誌　93 卷 6 期　頁 13－18　1996 年 12 月

0428　許清雲　論唐人絕句含蓄美的表現手法
東吳中文學報　3 期　頁 139－158　1997 年 5 月

0429　張高評　含蓄與詩歌語言──以宋代詩話爲例
修辭論叢　第一輯　頁 635－659　中國修辭學會、台灣師大國文系編　台北　洪葉文化事業公司　1999 年 8 月初版

0430　杜淑貞　婉曲法的文學效果與八種特質
中國語文　87 卷 5 期（總 521）　頁 54－61　2000 年 11 月

0431　駱澤松　中國古典詩歌的含蓄手法
中國語文　87 卷 3 期（總 519）頁 60－65　2000 年 9 月

0432　蔡謀芳　「曲言」是一種綜合性辭格
辭格比較概述　頁 145－162　台北　台灣學生書局　2001 年 8 月初版

0433　吳禮權　吞吐之間，蓄意無窮──留白的表達策略
國文天地　18 卷 3 期（總 207）　頁 76－78　2002 年 8 月

0434　黃麗貞　「婉曲」修辭格
中國語文　92 卷 3 期（總 549）　頁 24－31　2003 年 3 月

0435　蕭　慈　「委婉詞」舉隅

中國語文　94 卷 3 期（總 561）　頁 90－93　2004 年 3 月

誇飾格

0436　王集叢　論詩的誇張性
中國語文　2 卷 4 期（總 558 期）　頁 12－13　1953 年 4 月

0437　張子靜　文章與誇飾
中央日報　1954 年 2 月 20 日 6 版

0438　尙逵齋　寫作與誇飾
自由青年　15 卷 11 期　頁 14　1956 年 6 月

0439　程兆熊　中國文學上之比興與夸飾
大學生活　3 卷 11 期　頁 16－18　1958 年 3 月
中國文學論　頁 127－170　台北　大林出版社　未註出版年月

0440　陳成豐　鋪張修辭法舉隅
中國語文　26 卷 1 期（總 151）　頁 18－19　1970 年 1 月

0441　王祿松　浩然氣與快哉風——談文學中的誇飾法
文藝月刊　80 期　頁 28－35　1976 年 2 月

0442　蔡宗陽　誇飾法的修辭
文燈——文章作法講話　頁 80－83　台北　國語日報社　1977 年 11 月 1 版

0443　蕭　蕭　夸飾刺激想像
現代詩學　頁 238－245　台北　東大圖書公司　1987 年 4 月初版

0444　沈　謙　從蜀道難論李白的夸飾
唐代文學研討會論文集　頁 77－88　香港浸會學院中國語文學系主編　台北　文史哲出版社　1987 年 4 月初版
修辭方法析論　頁 341－354　台北　文史哲出版社　2002 年 10 月初版

0445　衛　志　不覺其虛，彌覺其妙——古代學者論誇飾
古代名家寫作技巧漫談　頁 210－216　台北　木鐸出版社　1987 年 7 月初版

0446　沈　謙　從文心雕龍論修辭之「誇飾」
文心雕龍綜論　頁 1－21　中國古典文學研究會主編　台北　台

灣學生書局　1988 年 5 月初版

0447　吳金葱等　國小國語課文夸飾修辭實例研析
國教月刊　35 卷 9－10 期　頁 63－64　1989 年 6 月

0448　吳厚筠　杜甫〈兵車行〉的夸飾分析
中國語文　65 卷 5 期（總 389）　頁 18－21　1989 年 11 月

0449　杜松柏　夸飾
詩與詩學　陸・作法　頁 146－150　台北　洙泗出版社　1990 年 12 月初版

0450　董季棠　中學國文修辭講話──談誇張
中國語文　68 卷 2 期（總 404）　頁 16－20　1991 年 2 月

0451　張春榮　桃花潭水深千尺──夸飾
明道文藝　180 期　頁 26－29　1991 年 3 月
修辭散步　頁 95－108　台北東大圖書公司　1991 年 9 月初版

0452　張春榮　可以刮下一層層霜的冷臉──談夸飾
中央日報　1992 年 3 月 10 日 15 版
修辭萬花筒　頁 21－24　台北　駱駝出版社　1996 年 9 月初版

0453　廖國棟　漢賦「夸飾」之省察
成大中文學報　1 期　頁 179－210　1992 年 11 月

0454　蔡宗陽　中學修辭講座──誇飾的解說與活用
國文天地　9 卷 4 期（總 100）　頁 83－87　1993 年 9 月
應用修辭學　第二章第四節　頁 59－69　台北　萬卷樓圖書公司　2001 年 5 月初版

0455　康家瓏　理髮店生意淡淡──談誇張的運用
中國語文趣話　頁 168－175　台北　雲龍出版社　1993 年 10 月初版

0456　鄭同元　誇飾修辭教學探討
國語文教育通訊　9 期　頁 55－68　1994 年 7 月

0457　彭華生　誇張
語言藝術妙趣百題　第四部修辭學要　頁 415－417　台北　智慧大學出版社　1994 年 9 月初版

0458　張春榮　夸飾與兼用

中央日報　1994年10月6日15版
修辭萬花筒　頁79－86　台北　駱駝出版社　1996年9月初版

0459　王忠林　夸飾辭格析論
第三屆台灣區國語文教學學術研討會論文集　頁34－53　高雄　國立高雄師範大學國文系編印　1997年4月

0460　張清榮　談夸飾
巧思妙手織錦文（上）——各體文章寫作指導　頁135－138　國立台灣師範大學人文教育研究中心主編　台北　幼獅文化事業公司　1997年10月初版

0461　黃麗貞　「誇張」修辭格（上）
中國語文　82卷3期（總489）　頁15－21　1998年3月

0462　黃麗貞　「誇張」修辭格（下）
中國語文　82卷4期（總490）　頁28－32　1998年4月

0463　吳禮權　論誇張
修辭論叢　第一輯　頁413－436　中國修辭學會、台灣師大國文系編　台北　洪葉文化事業公司　1999年8月初版

0464　賴玫怡　修辭心理與美感之探析——以夸飾、譬喻爲例
國立台灣師範大學國文研究所碩士論文　2000年　陳滿銘指導
國立台灣師範大學國文研究所集刊　45期　頁925－1087　2001年6月

0465　王昌煥　夸飾修辭的教與學（上）
翰林文苑天地　4期　2001年2月3版

0466　王昌煥　夸飾修辭的教與學（下）
翰林文苑天地　5期　2001年4月4版

0467　張娣明　《唐詩三百首》中近體詩誇飾藝術
思辨集（國立台灣師範大學國文學系第七屆研究生學術論文研討會論文集）　第四集　頁296－315　2001年4月

0468　蔡謀芳　「誇飾」的對象與方法
辭格比較概述　頁95－106　台北　台灣學生書局　2001年8月初版

0469　張春榮　奇幻想像——誇飾、示現

修辭新思維　頁121－134　台北　萬卷樓圖書公司　2001年9月初版

0470　邱萬紫　「燕山雪花大如席」與「十條竹竿一個葉」──談誇張
語文應用漫談　頁242－243　台北　台灣商務印書館　2002年1月初版

0471　朴泰德　劉勰的夸飾法
修辭論叢　第四輯　頁613－634　中國修辭學會、輔仁大學中文系編　台北　洪葉文化事業公司　2002年6月初版

0472　沈　謙　論夸飾
修辭方法析論　頁261－283　台北　文史哲出版社　2002年10月初版

0473　陳敬介　試從夸飾角度論謫仙李白之創生
修辭論叢　第六輯　頁312－331　中國修辭學會、玄奘大學中文系編　台北　洪葉文化事業公司　2004年11月初版

0474　張娣明　唐詩三百首中絕句律詩誇飾的藝術表現
仰看明月詩當枕──論中國古典詩　第十一章　頁357－392　台北　萬卷樓圖書公司　2005年10月初版

示現格

0475　張春榮　中有豐年擊壤聲──談示現
明道文藝　184期　頁12－15　1991年7月

0476　董季棠　中學國文修辭講話──談示現
中國語文　69卷3期（總411）　頁27－29　1991年9月

0477　張春榮　稻花香裡說豐年──示現
一把文學的梯子　頁207－228　台北　爾雅出版社　1993年7月初版

0478　黃麗貞　示現修辭格的時、空設定
中國語文　74卷2期（總440）　頁22－25　1994年2月

0479　蔡宗陽　中學修辭講座──示現的解說與活用
國文天地　10卷5期（總113）　頁44－47　1994年10月
應用修辭學　第二章第八節　頁112－120　台北　萬卷樓圖書公

司　2001 年 5 月初版

0480　蔡謀芳　敘事觀點的跳換——示現與呼告
國文天地　15 卷 1 期（總 169）頁 103－107　1999 年 6 月
辭格比較概述　頁 73－79　台北　台灣學生書局　2001 年 8 月初版

0481　呂靜雯　「樂章集」中的「示現」修辭藝術
問學集（台灣師大國文系）　10 期　頁 99－123　2000 年 10 月

0469　張春榮　奇幻想像——誇飾、示現
修辭新思維　頁 121－134　台北　萬卷樓圖書公司　2001 年 9 月初版

0482　王本銘　從〈夜雨寄北〉談示現修辭格
中國語文　92 卷 4 期（總 550）　頁 49－52　2003 年 4 月

0483　李翠瑛　論現代詩中的懸想示現
修辭論叢　第六輯　頁 442－460　中國修辭學會、玄奘大學中文系編　台北　洪葉文化事業公司　2004 年 11 月初版

0484　李翠瑛　現代詩中「懸想示現」疆域的擴張——多種修辭格之綜合呈現
國文天地　20 卷 8 期（總 236）　頁 58－65　2005 年 1 月

譬喻格

0485　劉兆祐　比喻的用法
徵信新聞報　1950 年 10 月 16 日 6 版

0486　劉兆祐　比喻用法舉例
徵信新聞報　1950 年 10 月 23 日 6 版

0487　董季棠　談比喻
中國語文　2 卷 3 期　頁 14－16　1953 年 3 月

0488　張子靜　比喻的功能
中央日報　1954 年 2 月 27 日 6 版

0489　朱介凡　比喻
聯合報　1955 年 2 月 20 日 6 版

0490　尙逵齋　寫作與比喻
自由青年　15 卷 7 期　頁 12　1956 年 4 月

0491　虞君質　論比喻

中國語文　3 卷 2 期　頁 63－67　1958 年 8 月

0492　王夢鷗　譬喻的基本型
文學概論　第十四章　頁 139－150　帕米爾書店　1964 年 9 月初版
文學概論　第十四章　頁 139－150　台北藝文印書館　1976 年再版
中國文學理論與實踐　第十四章　台北　時報文化出版公司　頁 188－199　1995 年 11 月初版

0493　林鍾隆　取譬抒情法
作文講話　頁 55－58　台北　大中國圖書公司　1965 年 7 月初版

0494　王鼎鈞　譬喻
中國語文　24 卷 1 期（總 139）　頁 30－38　1969 年 1 月

0495　村野四郎著、洪順隆譯　論比喻
現代詩探源　第三章第三—四節　頁 48－68　台北　文史哲出版社　1969 年 2 月初版

0496　陳宗侯　孟子的比喻
孔孟月刊　8 卷 2 期　頁 17－18　1969 年 10 月

0497　賈　玄　譬喻與修辭
修辭學論叢　頁 17－42　台北　樂天出版社　1970 年 5 月初版

0498　介　白　譬喻法諸辭格
國魂　298 期　頁 49－50　1970 年 9 月
國魂　299 期　頁 53－56　1970 年 10 月

0499　黃慶萱　譬喻（現代語文修辭問題）
新文藝　211 期　頁 148－161　1973 年 10 月

0500　吳頤平　比喻選擇
人文學報　3 期　頁 503－528　1973 年 12 月

0501　鐘友聯　論墨家的譬喻與類比論證
大陸雜誌　49 卷 4 期　頁 35－41　1974 年 10 月

0502　周誠真　與黃永武先生談「譬喻」的問題
幼獅月刊　45 卷 1 期　頁 70－71　1977 年 1 月

0503　黃永武　「直賦」勿作「譬喻」解——再答周誠真先生
幼獅月刊　45 卷 1 期　頁 71－72　1977 年 1 月

0504　顧大我　孟子告子篇「一暴十寒」章「譬喻」試析

孔孟月刊　15卷7期　頁42－43　1977年3月

0505　蔡宗陽　譬喻法的修辭

文燈——文章作法講話　頁70－72　台北　國語日報社　1977年11月1版

0506　黃維樑　淺釋徐志摩詩中的比喻——夕陽中的新娘

聯合報　1978年3月14日12版

0507　蕭　蕭　現代詩泛論：打個譬喻吧

文藝月刊　130期　頁64－70　1980年4月

0508　方師鐸　聯想與文學創作之關係兼論語感、譬喻與象徵

東海學報　22期　頁119－130　1981年6月

0509　葉慶炳　孟子長於譬喻

孔孟月刊　19卷11期　頁32－35　1981年7月

晚鳴軒論文集　頁83－94　台北　大安出版社　1996年1月初版

0510　亦　耕　論對喻——一個最具中國風味的修辭格

中國語文　49卷4期（總292）　頁39－46　1981年10月

0511　蔡榮勇　如何教兒童使用譬喻

中國語文　52卷2期（總308）　頁59－61　1983年2月

0512　沈　謙　譬喻的藝術

中央日報　1983年11月21日10版

0513　艾治平　比喻，瑰麗的花朵

古典詩詞藝術探幽　頁347－353　台北　學海出版社　1984年10月初版

古典詩詞藝術探幽　頁336－342　台北　木鐸出版社　1987年7月初版

0514　艾治平　明喻·隱喻·博喻

古典詩詞藝術探幽　頁354－359　台北　學海出版社　1984年10月初版

古典詩詞藝術探幽　頁343－347　台北　木鐸出版社　1987年7月初版

0515　沈　謙　從譬喻論古詩十九首的藝術技巧

古典文學　第七集　頁189－208　台北　台灣學生書局　1985年

8 月初版
修辭方法析論　頁 299－320　台北　文史哲出版社　2002 年 10 月初版

0516　陳　香　詩中的怪誕借喻
國文天地　2 卷 1 期（總 13）　頁 95　1986 年 6 月

0517　余小蘭　中國譬喻品評法初探
國立台灣大學中國文學研究所碩士論文　1986 年　葉慶炳指導

0518　劉榮傑　從譬喻觀點探討文心雕龍的文學觀
木鐸　11 期　頁 321－337　1987 年 2 月

0519　劉榮傑　文心雕龍譬喻研究
台北　前衛出版社　1987 年 11 月初版

0520　黃守誠　論語的「譬喻」技巧
書和人　584 期　頁 1－2　1987 年 12 月 19 日

0521　黃浩瀚　詩之興：樂歌衝動與譬喻過程
中外文學　15 卷 2 期（總 170）　頁 63－82　1986 年 7 月

0522　蕭　蕭　從譬喻中開展詩的境界
現代詩學　頁 165－180　台北　東大圖書公司　1987 年 4 月初版

0523　蔡英俊（譯述）　修辭語言（一）明喻與隱喻
國文天地　2 卷 9 期（總 21）　頁 72－75　1987 年 2 月

0524　吳秀餘　譬喻與比擬在國文美感教學上的展開
國文天地　3 卷 3 期（總 27）　頁 95－100　1987 年 8 月

0525　陳曉瑩等　國小國語課文譬喻修辭實例研析
國教月刊　34 卷 11－12 期　頁 59－64　1988 年 6 月

0526　黃亦真　文心雕龍廣泛使用比喻法所具的意義
尉素秋教授八秩榮慶論文集　頁 487－512　國立成功大學中文系編　台北　文史哲出版社　1988 年 10 月初版

0527　簡政珍　符號與比喻
語言與文學空間　頁 133－148　台北　漢光文化公司　1989 年 2 月初版

0528　黃維樑　新詩中的比喻
怎樣讀新詩　頁 129－145　台北　五四書店　1989 年 4 月初版

0529　謝四海　譬喻格在中國文學裡的運用
國民中學國文教學論文研討會論文集　頁 101－120　台北　國立台灣師範大學中等教育輔導委員會編　1989 年 6 月初版
儒林學報　5 期　頁 41－54　1990 年 7 月

0530　魏靖峰　談「引申、比喻、形容」
中國語文　65 卷 4 期（總 388）　頁 69－70　1989 年 10 月

0531　適　生　成語中的譬喻試探
中國語文　66 卷 1 期（總 391）　頁 32－34　1990 年 1 月

0532　魏靖峰　試析詩經十五國風的喻依
中國語文　66 卷 1 期（總 391）　頁 68－71＋77　1990 年 1 月

0533　沈　謙　明喻與隱喻——比之修辭方法
明道文藝　167 期　頁 60－81　1990 年 2 月

0534　沈　謙　略喻與借喻——比之修辭方法
明道文藝　170 期　頁 53－71　1990 年 5 月

0535　杜松柏　論比
詩與詩學　陸·作法　頁 134－139　台北　洙泗出版社　1990 年 12 月初版

0536　董季棠　中學國文修辭講話——談譬喻（上）
中國語文　67 卷 12 期（總 402）　頁 11－13　1990 年 12 月

0537　董季棠　中學國文修辭講話——談譬喻（下）
中國語文　68 卷 1 期（總 403）　頁 21－24　1991 年 1 月

0538　黃亦真　文心雕龍比喻技巧研究
台北　學海出版社　1991 年 2 月初版

0539　黃麗貞　喻解
中國語文　68 卷 3 期（總 405）　頁 22－26　1991 年 3 月

0540　丁　敏　佛教譬喻文學研究
國立政治大學中國文學研究所博士論文　1991 年　羅宗濤指導
台北　東初出版社　1996 年 3 月
高雄　佛光山文教基金會　2004 年

0541　張春榮　論比喻
中國學術年刊　12 期　頁 317－349　1991 年 4 月

0542　張春榮　離恨恰如春草，更行更遠還生——談比喻類型
明道文藝　182 期　頁 38－41　1991 年 5 月

0543　白　靈　比喻的遊戲
一首詩的誕生　頁 13－25　台北　九歌出版社　1991 年 12 月初版

0544　王忠林　詩經中運用譬喻修辭手法的分析
第一屆先秦學術國際研討會論文集　頁 65－94　國立高雄師範大學國文系所編　1992 年 4 月初版

0545　蔡宗陽　論譬喻的分類
中國學術年刊　13 期　頁 263－285　1992 年 4 月
修辭學探微　頁 163－191　台北　文史哲出版社　2001 年 4 月初版

0546　文　萱　善用譬喻法來說話作文
花蓮文教　2 期　頁 24－26　1992 年 7 月

0547　陳幸永　譬喻詞格淺論
國語文教育通訊　創刊號　頁 56－61　1992 年 10 月

0548　沈秋雄　李商隱之比體詩
詩學十論　頁 137－167　台北　文史哲出版社　1993 年 3 月初版

0549　蔡宗陽　中學修辭講座——譬喻的解說與活用
國文天地　8 卷 12 期（總 96）　頁 88－97　1993 年 5 月
應用修辭學　第二章第一節　頁 22－45　台北　萬卷樓圖書公司　2001 年 5 月初版

0550　王懷成　韓非子修辭學譬喻之運用
黃埔學報　25 期　頁 187－194　1993 年 6 月

0551　張春榮　生命有如神話世界裡的珍珠——比喻
一把文學的梯子　頁 95－103　台北　爾雅出版社　1993 年 7 月初版

0552　柯華葳、趙德昌　兒童的比喻理解
華文世界　69 期　頁 42－49　1993 年 9 月

0553　康家瓏　華羅庚談數論的研究——談比喻的創造
中國語文趣話　頁 160－167　台北　雲龍出版社　1993 年 10 月初版

0554　王關仕　詩蓼莪缾罄罍恥喻義辯

瑞安林景伊教授八十冥誕紀念論文集　頁 283－286　台北　文史哲出版社　1993 年 12 月初版

0555　蔡立中　中文裡關於身體部位器官的譬喻現象
國立清華大學語言學系碩士論文　1994 年　曹逢甫指導

0556　堯　月　「桃李」的比喻
國語日報　1994 年 3 月 17 日 13 版

0557　蔡宗陽　詩經的「比」與修辭的關係
第一屆經學學術討論會論文集　頁 75－87　台北　國立台灣師範大學國文系所主編　1994 年 4 月
修辭學探微　頁 87－99　台北　文史哲出版社　2001 年 4 月初版

0558　王忠林　易爻辭之以事取譬——以災患之事爲譬
紀念程旨雲先生百年誕辰學術研討會論文集　頁 1－15　台北　台灣書店　1994 年 5 月

0559　張　健　詩詞曲中的人生比喻
國文天地　9 卷 12 期（總 108）　頁 32－39　1994 年 5 月

0560　鄭同元　譬喻修辭探討
國語文教育通訊　7 期　頁 13－28　1994 年 5 月

0561　楊石成　借來的妙喻
中國語文　74 卷 5 期（總 443）　頁 79－81　1994 年 5 月

0562　張春榮　比喻與兼用
中央日報　1994 年 7 月 7 日 15 版
修辭萬花筒　頁 71－78　台北　駱駝出版社　1996 年 9 月初版

0563　彭華生　借喻
語言藝術妙趣百題　第四部修辭舉要　頁 390－393　台北　智慧大學出版社　1994 年 9 月初版

0564　彭華生　妙喻
語言藝術妙趣百題　第四部修辭舉要　頁 394－397　台北　智慧大學出版社　1994 年 9 月初版

0565　楊鴻銘　徐志摩翡冷翠山居閒話等文譬喻論
孔孟月刊　33 卷 3 期（總 387）　頁 50－51　1994 年 11 月

0566　林靜伶　台灣競選廣告中戰爭比喻之論辯性質

閱聽人與訊息策略學術研討會　嘉義　國立中正大學　1995年3月25－26日
語藝批評　實踐篇　頁325－336　台北　五南圖書出版公司　2000年2月初版

0567　劉美華　譬喻與教學
研習資訊　12卷2期　頁44－49　1995年4月

0568　沈　謙　聞一多譬喻多采多姿
中央日報　1995年10月20日
林語堂與蕭伯納——看文人妙語生花　頁140－144　台北　九歌出版社　1999年3月初版

0569　王忠林　譬喻辭格析論
第二屆台灣區中國語文教學學術研討會論文集　頁1－16　高雄　國立高雄師範大學國文系編　1996年

0570　張春榮　世味年來薄似紗——談比喻類型
修辭行旅　頁51－128　台北　東大圖書公司　1996年1月初版

0571　盧廣誠　源自比喻的某些閩南語本字
國語日報　1996年4月26日13版
國語日報　1996年5月3日13版

0572　湯雄飛　韓非與莊周用喻風格上之差異
人文學報（中興大學）　26期　頁43－55　1996年6月

0573　王窓賢　教學集錦：那顆燦爛在修辭夜空的天津四——令人讚嘆的比喻（一）
國文天地　12卷5期（總137）　頁67－71　1996年10月

0574　王窓賢　教學集錦：那顆燦爛在修辭夜空的天津四——令人讚嘆的比喻（二）
國文天地　12卷7期（總139）　頁54－59　1996年12月

0575　廖居治　國小國語教材譬喻辭格的探討與應用
國教天地　119期　頁31－35　1996年12月

0576　劉秀瑩　身體部位譬喻現象與文化差異
國立清華大學語言學研究所碩士論文　1997年　曹逢甫指導

0577　莊銀珠　以譬喻修辭為重點的寫作練習

國中作文教學設計活路——國三篇　第貳部分第二單元　頁 28－33　高雄　復文圖書出版社　1997 年 5 月初版

0578　張清榮　談譬喻

巧思妙手織錦文（上）——各體文章寫作指導　頁 154－157　國立台灣師範大學人文教育研究中心主編　台北　幼獅文化事業公司　1997 年 10 月初版

0579　陳香如　兒童運用譬喻修辭的技巧分析

語文教育通訊　15 期　頁 48－55　1997 年 12 月

0580　周中明　精當貼切，自然奇警——談《紅樓夢》中對比喻的運用

紅樓夢的語言藝術　頁 181－207　台北　里仁書局　1997 年 12 月初版

0581　楊鴻銘　鄭愁予〈錯誤〉等文譬喻論

孔孟月刊　36 卷 9 期（總 429）　頁 50－51　1998 年 5 月

0582　劉　石　蘇詩比喻淺說

國文天地　13 卷 12 期（總 156）　頁 32－37　1998 年 5 月

0583　張莉敏　中文裡有關顏色的譬喻用法

國立中正大學語言學研究所碩士論文　1998 年　麥傑指導

0584　洪郁芬　與飲食行為相關的中文譬喻及中華文化

輔仁大學語言學研究所碩士論文　1999 年　魏叔倫指導

0585　譚汝為　喜新厭舊，舍近求遠——論比喻運用的兩項原則

修辭論叢　第一輯　頁 139－143　中國修辭學會、台灣師大國文系編　台北　洪葉文化事業公司　1999 年 8 月初版

0586　譚汝為　中國古典詩歌特殊喻式研究

修辭論叢　第一輯　頁 144－155　中國修辭學會、台灣師大國文系編　台北　洪葉文化事業公司　1999 年 8 月初版

0587　劉鳳玲　比喻分類三分說置疑

中國語文　85 卷 2 期（總 506）　頁 38－45　1999 年 8 月

0588　林佳樺　屈賦中的「譬喻」修辭藝術

修辭論叢　第一輯　頁 157－181　中國修辭學會、台灣師大國文系編　台北　洪葉文化事業公司　1999 年 8 月初版

0589　林于弘　「散鹽空中」與「柳絮因風」——談兩種不同的比喻類型

中國語文　85 卷 3 期（總 507）　頁 84－85　1999 年 9 月

0590　魏靖峰　談「比喻、形容、引申」
國語日報　2000 年 1 月 5 日 13 版

0591　顏兆泰　相關於視覺的中文譬喻之語意研究
輔仁大學語言學研究所碩士論文　2000 年　魏叔倫指導

0592　林靜伶　比喻批評
語藝批評　理論篇第四章　頁 43－60　台北　五南圖書出版公司　2000 年 2 月初版

0593　張春榮　才氣的火花──比喻的妙用
幼獅文藝　556 期　頁 37－39　2000 年 4 月
修辭新思維　頁 181－186　台北　萬卷樓圖書公司　2001 年 9 月初版

0594　陳正治　譬喻修辭法概論
北市師院語文學刊　4 期　頁 61－74　2000 年 6 月

0464　賴玫怡　修辭心理與美感之探析──以夸飾、譬喻為例
國立台灣師範大學國文研究所碩士論文　2000 年　陳滿銘指導
國立台灣師範大學國文研究所集刊　45 期　頁 925－1087　2001 年 6 月

2027　張美玉　1998 年台北市長選舉辯論中的譬喻策略之研究
國立清華大學語言學研究所碩士論文　2000 年　郭賽華指導

0595　林文淑　《莊子》內篇的「譬喻」探析
修辭論叢　第二輯　頁 545－579　中國修辭學會、高雄師大國文系編　台北　洪葉文化事業公司　2000 年 7 月初版

0596　潘柏年　國風譬喻修辭法分類研究
修辭論叢　第二輯　頁 675－718　中國修辭學會、高雄師大國文系編　台北　洪葉文化事業公司　2000 年 7 月初版

0597　張春榮　「像霧像雨又像風」屬何類譬喻?
國文天地　16 卷 11 期（總 181）　頁 100－101　2001 年 4 月
修辭新思維　附錄「修辭門診」　頁 291－294　台北　萬卷樓圖書公司　2001 年 9 月初版

0598　蘇洵明　譬喻法在描寫人物中的舉例

中國語文　88卷5期（總527）　頁68－73　2001年5月

0599　張春榮　「她紅紅的臉蛋好像是紅蘋果一樣」屬「明喻」或「隱喻」？
國文天地　17卷1期（總193）　頁101　2001年6月
修辭新思維　附錄「修辭門診」　頁294－297　台北　萬卷樓圖書公司　2001年9月初版

0600　王興中、袁焱　談談比喻意象
修辭論叢　第三輯　頁759－769　銘傳大學應用中文系所、中國修辭學會、中國語文學會編　台北　洪葉文化事業公司　2001年6月初版

0601　蔡宗陽　海峽兩岸譬喻的異稱與分類之比較
慶祝莆田黃錦鋐教授八秩壽慶論文集　頁645－663　台北　文史哲出版社　2001年6月
慶祝莆田黃錦鋐教授八秩／日本町田三郎教授七秩壽慶論文集　頁575－593　台北　文史哲出版社　2001年6月

0602　馮廣藝　先秦諸子比喻學說論析
修辭論叢　第三輯　頁220－231　銘傳大學應用中文系所、中國修辭學會、中國語文學會編　台北　洪葉文化事業公司　2001年6月初版

0603　蔡謀芳　評述《修辭通鑑》的「變式比喻」
修辭論叢　第三輯　頁971－994　銘傳大學應用中文系所、中國修辭學會、中國語文學會編　台北　洪葉文化事業公司　2001年6月初版
辭格比較概述　頁193－214　台北　台灣學生書局　2001年8月初版

0604　黃立己　慣用語及慣用語的譬喻修辭
修辭論叢　第三輯　頁367－382　銘傳大學應用中文系所、中國修辭學會、中國語文學會編　台北　洪葉文化事業公司　2001年6月初版
中國語文　89卷1期（總529）　頁40－51　2001年7月

0605　劉信宏　試論村上春樹小說中的比喻
修辭論叢　第三輯　頁460－468　銘傳大學應用中文系所、中國

修辭學會、中國語文學會編　台北　洪葉文化事業公司　2001 年 6 月初版

0606　周世箴　譬喻認知與文學詮釋——以〈圓圓曲〉中的譬喻映射為例
美學與人文精神　頁 281－337　東海大學中國文學系編　台北　文史哲出版社　2001 年 8 月初版

0607　王昌煥　作文頻道——談不同層次的比喻內容
明道文藝　308 期　頁 186－192　2001 年 11 月

0608　王昌煥　作文頻道——如何避免把比喻寫不好
明道文藝　309 期　頁 186－193　2001 年 12 月

0609　韓敬華　比喻漫談
語文應用漫談　頁 231－232　台北　台灣商務印書館　2002 年 1 月初版

0610　韓敬體　打比方與詞語的比喻意義
語文應用漫談　頁 233－235　台北　台灣商務印書館　2002 年 1 月初版

0611　紀彣岳　譬喻修辭法對廣告效果之探討
國立中央大學企業管理研究所碩士論文　2002 年　林建煌指導

0612　張春榮　題型新思維——比喻的妙用
明道文藝　311 期　頁 177－182　2002 年 2 月

0613　張春榮　極短篇的比喻
國文天地　17 卷 9 期（總 201）　頁 77－79　2002 年 2 月

0614　李翠瑛　從譬喻中發展詩意——論洛夫的「子夜讀信」一詩
翰林文苑天地　12 期　2002 年 3 月 8 版

0615　蘇秀錦　逆向譬喻創造名言錦句
國文天地　17 卷 11 期（總 203）　頁 75－78　2002 年 4 月
重高學報（三重高中）　8 期　頁 1－6　2005 年 6 月

0616　趙公正　語文表遠作文能力訓練——譬喻的作文法
中國語文　90 卷 4 期（總 538）　頁 47－51　2002 年 4 月

0617　陳季嫻　不同凡想——試論七等生小說中的譬喻
修辭論叢　第四輯　頁 245－268　中國修辭學會、輔仁大學中文系編　台北　洪葉文化事業公司　2002 年 6 月初版

0618　王祥穎　《老子》譬喻修辭分析研究
修辭論叢　第四輯　頁337－359　中國修辭學會、輔仁大學中文系編　台北　洪葉文化事業公司　2002年6月初版

0619　梁曉虹　從漢語對佛教譬喻的取捨看比喻的民族差異
修辭論叢　第四輯　頁699－725　中國修辭學會、輔仁大學中文系編　台北　洪葉文化事業公司　2002年6月初版

0620　仇小屏　連連看——談譬喻格在新詩寫作中的運用
詩從何處來：新詩習作教學指引　頁133－141　台北　萬卷樓圖書公司　2002年9月初版

0621　莊文福　《老子》譬喻語法之運用與主題
中國語文　91卷3期（總543）　頁66－81　2002年9月

0622　趙奎生　對聯運用比喻修辭舉隅
國文天地　18卷7期（總211）　頁77－80　2002年12月

0168　宗廷虎　秦牧論譬喻
中國語文　91卷6期（總546）　頁86－92　2002年12月

*1783　蔡素華　《圍城》譬喻修辭探究
玄奘人文社會學院中國語文研究所碩士論文　2003年　沈謙指導

0623　張春榮　比喻與創意造句
明道文藝　322期　頁178－181　2003年1月

0624　黃奕珍　論《世說新語》中以自然物象爲主的人物比喻
廖蔚卿教授八十壽慶論文集　頁417－460　台北　里仁書局　2003年2月初版

0625　周世箴　〈圓圓曲〉的譬喻世界
語言學與詩歌詮釋　頁319－352　台北　樂學書局　2003年3月初版

0626　張春榮　「愛情」比喻
中國語文　93卷1期（總553）　頁95－98　2003年7月

0627　陳秀香　世說新語四科之譬喻修辭探究
中國語文　93卷5期（總557）　頁61－68　2003年11月

0628　謝貴美　《雅舍小品》「譬喻」修辭藝術之窺探
修辭論叢　第五輯　頁334－378　中國修辭學會、台灣師大國文

系編　台北　洪葉文化事業公司　2003 年 11 月初版

0629　李麗文　《詩經》譬喻美學
修辭論叢　第五輯　頁 120－153　中國修辭學會、台灣師大國文系編　台北　洪葉文化事業公司　2003 年 11 月初版

0630　金華珍　顧炎武詩歌的「譬喻」修辭析論
修辭論叢　第五輯　頁 957－990　中國修辭學會、台灣師大國文系編　台北　洪葉文化事業公司　2003 年 11 月初版

0631　仇小屏　論「取眼前景爲譬」
中國語文　93 卷 6 期（總 558）　頁 25－30　2003 年 12 月

0632　仇小屏　略論「喻解」
中國語文　94 卷 2 期（總 560）　頁 25－29　2004 年 2 月

0633　仇小屏　「限制式寫作」題組之設計與實作：鎖定譬喻能力
國文天地　19 卷 11 期（總 227 期）　頁 77－85　2004 年 4 月

0634　王品方　老子論道譬喻之研究
中國文化大學哲學研究所碩士論文　2004 年　黎惟東指導

0635　陳彤曲　華閩語情緒譬喻之比較研究
國立新竹師範學院台灣語言與語文教育研究所碩士論文　2004 年　曹逢甫指導

0636　陳聖倫　魏晉賞鑒活動的題目方式及其特色──譬況喻示
魏晉賞鑒活動研究及其對教學的啓發　第三章第四節　頁 130－143　國立台灣師範大學國文教學碩士班碩士論文　2004 年　李清筠指導

0637　林明生　《孟子》修辭〈譬喻〉之研究
雛鳳清鳴──玄奘大學中國語文學研究所第三屆研究生學術研討會論文集　頁 99－112　新竹　玄奘大學中國語文學研究所編　2004 年 4 月

0638　盧韻琴　東坡詩譬喻修辭研究
國立高雄師範大學國文教學碩士班碩士論文　2004 年　林文欽指導

0639　張春榮　「比喻」運用原則的考察
修辭論叢　第六輯　頁 399－413　中國修辭學會、玄奘大學中文

系編　台北　洪葉文化事業公司　2004年11月初版

0640　仇小屏　論譬喻中的知覺與心覺——以魏晉南北朝詩歌與新詩爲考察對象
第五屆魏晉南北朝文學與思想學術研討會論文集　頁67－90　國立成功大學中國文學系主編　台北　里仁書局　2004年11月初版

0641　費泰然　從譬喻論李白《古風》五十九首的藝術技巧
醒吾學報　28期　頁301－322　2004年12月

0642　仇小屏　論意象的承繼與創新——從現代詩文中的譬喻修辭切入
文與哲　5期　頁407－432　2004年12月

0643　楊鴻銘　排比與譬喻
孔孟月刊　43卷9－10期（總513、514）　頁55－57　2005年6月

0644　張慧美　流行歌曲歌詞修辭舉隅——以譬喻句爲例（上）
中國語文　97卷3期（總579期）　頁37－46　2005年9月

0645　張慧美　流行歌曲歌詞修辭舉隅——以譬喻句爲例（下）
中國語文　97卷4期（總580期）　頁50－54　2005年10月

0646　趙瑋婷　張曉風散文譬喻修辭研究
國立台灣師範大學國文教學碩士班碩士論文　2005年　陳滿銘指導

0647　梁麗玲　《出曜經》動物譬喻研究
文學新鑰（南華大學文學系）　第4期　頁59－84　2006年7月

附：博喻

0648　沈　謙　博喻的藝術
中華文化復興月刊　23卷8期　頁28－34　1990年8月

0649　張春榮　如怨如慕，如泣如訴——博喻
明道文藝　177期　頁33－37　1990年12月
修辭散步　頁51－64　台北　東大圖書公司　1991年9月初版

0650　高平平　試談博喻的和諧美
中國語文　74卷6期（總444）　頁60－63　1994年6月

0651　張春榮　如拂如撼的弦管聲——談博喻
修辭萬花筒　頁16－20　台北　駱駝出版社　1996年9月初版

0652　沈　謙　論博喻
修辭方法析論　頁65－82　台北　文史哲出版社　2002年10月初版

0653　仇小屏　論博喻中的「喻解」
中國語文　94卷6期（總564）　頁25－30　2004年6月

借代格

0654　黃慶萱　文學作品中的「借代」現象
中華日報　1974年2月15－17日9版

0655　蔡宗陽　借代法的修辭
文燈——文章作法講話　頁91－94　台北　國語日報社　1977年11月1版

0656　黃慶萱　「瓢囊」是否屬「借代」？
國文天地　5卷3期（總51）　頁8　1989年8月

0657　何永清　借代淺談
中國語文　67卷2期（總398）　頁62－63+78　1990年8月

0658　張春榮　過盡千帆皆不是—談借代
明道文藝　179期　頁24－27　1991年2月
修辭散步　頁109－121　台北　東大圖書公司　1991年9月初版

0659　董季棠　中學國文修辭講話——談借代
中國語文　69卷5期（總413）　頁26－29　1991年11月

0660　蔡宗陽　中學修辭講座——借代的解說與活用
國文天地　10卷6期（總114）　頁56－60　1994年11月
應用修辭學　第二章第五節　頁69－79　台北　萬卷樓圖書公司　2001年5月初版

0661　吳建華　以彼代此——修辭法中的借代格
中央日報　1995年2月16日21版

0662　張春榮　叫醒了所有的耳朵——談借代
修辭萬花筒　頁46－50　台北　駱駝出版社　1996年9月初版

0663　吳建華　「而立」的修辭方式
中央日報　1997年12月4日21版

0664　黃麗貞　「借代」修辭格（上）
中國語文　83卷3期（總495）　頁12－20　1998年9月

0665　黃麗貞　「借代」修辭格（下）
中國語文　83卷4期（總496）　頁14－21　1998年10月

0666　翁以倫　從典故中看「借代」的妙著
中國語文　84卷6期（總504）　頁63－67　1999年6月

0667　何永清　談借代
修辭漫談　頁15－18　台北　台灣商務印書館　2000年4月初版

0668　蔡謀芳　間接修辭——借代、借喻與雙關
中國語文　87卷2期（總518）頁48－51　2000年8月
辭格比較概述　頁57－60　台北　台灣學生書局　2001年8月初版

0669　蔡宗陽　「一葦」在修辭上屬借代或借喻
國文天地　16卷7期（總187）　頁99　2000年12月

0671　林佳樺　《楚辭》的「借代」修辭藝術
重高學報　4期　頁59－86　2001年6月
修辭論叢　第三輯　頁332－366　銘傳大學應用中文系所、中國修辭學會、中國語文學會編　台北　洪葉文化事業公司　2001年6月初版

0672　蔡謀芳　「旁借」與「對代」——評陳望道「借代」
辭格比較概述　頁61－71　台北　台灣學生書局　2001年8月初版

0673　韓敬體　起外號與修辭
語文應用漫談　頁238－241　台北　台灣商務印書館　2002年1月初版

0674　王天星　借代的自然基礎與內在機制
國文天地　19卷10期（總226）　頁70－74　2004年3月

0675　魏聰祺　借代分類及其辨析
台中師院學報　18卷1期　頁111－134　2004年6月

轉化格（擬人、擬物）

0676　芷　園　談「擬人」的寫法

中國語文　25卷1期（總145）　頁24－26　1969年7月

0677　鄭建業　假擬與修辭
修辭學論叢　頁1－17　台北　樂天出版社　1970年5月初版

0678　于再春　轉化論
修辭學論叢　頁42－55　台北　樂天出版社　1970年5月初版

0679　蘇雪林　蘇詩之喜用擬人法以童心觀世界——東坡詩論之二
暢流　45卷8期　頁54－60　1972年6月

0680　黃慶萱　轉化——現代語文修辭問題
新文藝　212期　頁116－132　1973年11月

0681　庚　生　聯想與比擬
國魂　351期　頁52－54　1975年2月

0682　何錡章　論新詩的比擬
文壇　180期　頁10－14　1975年6月

0683　蔡宗陽　比擬法的修辭
文燈——文章作法講話　頁73－75　台北　國語日報社　1977年11月1版

0684　吳恭嘉　敲開童詩的門——擬人法的童詩寫作指導
國教輔導　24卷3期　頁11－13　1985年1月

0685　林義烈　比擬是甚麼
中國語文　57卷1期（總337）　頁42－44　1985年7月

0686　楊鴻銘　蘇軾前赤壁賦比擬論
孔孟月刊　24卷8期（總284）　頁42－43　1986年4月

0687　蕭　蕭　轉而化之，所以成詩
現代詩學　頁181－189　台北　東大圖書公司　1987年4月初版

0688　黃慶萱　「驚天地、泣鬼神」是擬人法嗎？
國文天地　4卷2期（總38）　頁10－11　1988年7月

0689　張春榮　「載不動許多愁」的修辭
國文天地　5卷2期（總50）　頁88－89　1989年7月

0690　杜　萱　彩蝶掉眼淚——談「人性化」轉化法在童詩創作上的運用
台灣區省市立師院七十八學年度兒童文學學術討論會論文集　嘉義師範學院編　1990年

國文天地　5卷12期（總60）　頁94－98　1990年5月
兒童文學與現代修辭學　第七章　頁204－229　台北　富春文化事業公司　1994年10月二版

0691　杜　萱　張開想像的羽翼——談「物性化」轉化法在童詩創作上的運用
國文天地　6卷6期（總66）　頁86－91　1990年11月
兒童文學與現代修辭學　第八章　頁230－243　台北　富春文化事業公司　1994年10月二版

0692　杜淑貞　以「物性化」轉化修辭創作童詩
東師語文學刊　4期　頁192－209　1991年2月

0693　董季棠　中學國文修辭講話——談擬化
中國語文　68卷4期（總406）　頁26－28　1991年4月

0694　陳憶蘇　蘇詩中的擬人法
文史論集　2期　頁81－99　1991年7月

0695　王媛香　擬人法的啓發
優異教學技巧：國民小學國語數學篇（一）　台北　省政府教育廳　頁79－80　1992年

0696　蔡勝德　擬人化和童詩寫作
教師之友　33卷1期　頁20－23　1992年2月

0697　張春榮　春風知別苦——談比擬
明道文藝　198期　頁48－52　1992年9月

0698　張春榮　泥土與雙腳絮絮話舊——比擬
一把文學的梯子　頁119－132　台北　爾雅出版社　1993年7月初版

0699　蔡宗陽　中學修辭講座——轉化的解說與活用
國文天地　10卷2期（總110）　頁56－59　1994年7月
應用修辭學　第二章第二節　頁45－51　台北　萬卷樓圖書公司　2001年5月初版

0700　彭華生　擬人
語言藝術妙趣百題　第四部修辭學要　頁421－423　台北　智慧大學出版社　1994年9月初版

0701　鄭同元　轉化修辭教學探討（上）

中國語文　76卷1期（總451）　頁79－85　1995年1月

0702　鄭同元　轉化修辭教學探討（下）
中國語文　76卷2期（總452）　頁76－85　1995年2月

0703　孫世民　什麼是「比擬」？
中國語文　82卷1期（總487）　頁63－64　1998年1月

0704　楊徵祥　建安辭賦「比擬」修辭考察
修辭論叢　第一輯　頁315－334　中國修辭學會、台灣師大國文系編　台北　洪葉文化事業公司　1999年8月初版

0705　黃慶萱　轉化論
楊家駱教授九十冥誕紀念論文集　頁249－286　台北　萬卷樓圖書公司　2001年5月初版

0706　林文淑　《莊子》內篇「轉化」修辭探析
修辭論叢　第三輯　頁649－681　銘傳大學應用中文系所、中國修辭學會、中國語文學會編　台北　洪葉文化事業公司　2001年6月初版

0707　蒲基維　論稼軒詞中的「轉化」修辭藝術
修辭論叢　第三輯　頁579－608　銘傳大學應用中文系所、中國修辭學會、中國語文學會編　台北　洪葉文化事業公司　2001年6月初版

0708　蔡謀芳　「轉化」的類型及其文法環境
辭格比較概述　頁19－31　台北　台灣學生書局　2001年8月初版

0709　仇小屏　魔法手指——談擬人法在新詩寫作中的運用
詩從何處來：新詩習作教學指引　頁143－153　台北　萬卷樓圖書公司　2002年9月初版

0710　侯亮宇　從「格語法」的觀點解讀「擬人化詞彙」——以九十一年第一次基本學力測驗題爲例
國文天地　18卷8期（總212）　頁88－93　2003年1月

0711　張春榮　形象思維造句：擬人篇
國文天地　18卷11期（總215）　頁67－69　2003年4月

0712　倪正芳　一群「衣冠禽獸」——動物擬人化別稱漫談
國文天地　19卷2期（總218）　頁94－96　2003年7月

0713　蔡謀芳　辭格分合舉隅——以「轉化系統」爲例
修辭論叢　第五輯　頁 251－262　中國修辭學會、台灣師大國文系編　台北　洪葉文化事業公司　2003 年 11 月初版

0714　陳仲義　轉化：臨界點的飄移置換
現代詩技藝透析　頁 8－15　台北　文史哲出版社　2003 年 12 月初版

映襯格（對比）

0715　黃慶萱　文學作品中的映襯現象
文藝復興　53 期　頁 46－54　1974 年 6 月

0716　艾治平　詩的反襯
古典詩詞藝術探幽　頁 365－371　台北　學海出版社　1984 年 10 月初版
古典詩詞藝術探幽　頁 353－359　台北　木鐸出版社　1987 年 7 月初版

0717　董季棠　中學國文修辭講話——談映襯
中國語文　68 卷 3 期（總 405）　頁 18－21　1991 年 3 月

0718　張春榮　談修辭中的雙襯
北師國語文教育通訊　2 期　頁 31－33　1993 年 6 月

0719　張春榮　非常柔弱，也非常頑強——談雙襯
中央日報　1993 年 7 月 1 日 17 版
修辭萬花筒　頁 41－45　台北　駱駝出版社　1996 年 9 月初版

0720　張春榮　蛙聲十里出山泉——談旁襯
中國語文　73 卷 4 期（總 436）　頁 32－35　1993 年 10 月
修辭萬花筒　頁 36－40　台北　駱駝出版社　1996 年 9 月初版

0721　蔡宗陽　中學修辭講座——映襯的解說與活用
國文天地　9 卷 12 期（總 108）　頁 76－79　1994 年 5 月
應用修辭學　第二章第三節　頁 52－58　台北　萬卷樓圖書公司　2001 年 5 月初版

0722　鄭同元　映襯修辭教學探討
國語文教育通訊　10 期　頁 32－41　1995 年 6 月

0723 張春榮 鳥鳴山更幽——談反襯
修辭行旅 頁139－148 台北 東大圖書公司 1996年1月初版
0724 張清榮 談映襯
巧思妙手織錦文（上）——各體文章寫作指導 頁129－134 國立台灣師範大學人文教育研究中心主編 台北 幼獅文化事業公司 1997年10月初版
0725 楊鴻銘 荀子〈勸學〉等文映襯論
孔孟月刊 36卷7期（總427） 頁51－52 1998年3月
0726 黃麗貞 「映襯」修辭格
中國語文 83卷5期（總497） 頁17－26 1998年11月
0727 何永清 《孟子》中的映襯修辭
修辭漫談 頁86－90 台北 台灣商務印書館 2000年4月初版
0728 陳正治 映襯修辭法概論
中國語文 87卷5期（總521） 頁44－53 2000年11月
0729 蔡謀芳 說「映襯」
辭格比較概述 頁87－94 台北 台灣學生書局 2001年8月初版
0730 杜淑貞 「映襯法」形式與內容的搭配
中國語文 89卷5期（總533） 頁47－52 2001年11月
0731 王本銘 杜甫述懷詩中映襯修辭格的運用
中國語文 90卷3期（總537） 頁52－57 2002年3月
0732 黃素卿 「文心雕龍・情采篇」映襯修辭探討
中國語文 93卷3期（總555） 頁101－108 2003年9月
0733 姚一葦 論對比
現代文學 23期 頁16－39 1965年2月
0734 周伯乃 論詩的對比
新文藝 138期 頁46－55 1967年9月
文壇 275期 頁91－94 1968年2月
0735 傅述先 杜甫三首七言律詩中的對比（詠懷古跡五首、登高、秋興）
中外文學 1卷9期 頁137－142 1973年2月
比較文學賞析 頁7－12 高雄 復文出版社 1993年7月初版
0736 歐陽子 「一把青」裡對比技巧的運用——台北人研析之三

書評書目　24期　頁21－28　1975年4月

0737　歐陽子　「冬夜」之對比反諷運用與小說氣氛釀造——白先勇「台北人」之研析

中外文學　4卷9期　頁20－39　1976年2月

0738　花　村　對比和暗示構成的文學美

台灣日報　1978年9月17日12版

0739　王熙元　詞的對比技巧初探

古典文學　第二集　頁241－284　台北　台灣學生書局　1980年12月初版

0740　林銀森　〈與陳伯之書〉的對比運用

中國語文　52卷4期（總310）　頁36－38　1983年4月

0741　艾治平　對比的藝術

古典詩詞藝術探幽　頁330－334　台北　學海出版社　1984年10月初版

古典詩詞藝術探幽　頁318－323　台北　木鐸出版社　1987年7月初版

0742　吳淳邦　晚清四大小說中的對比技巧

中外文學　10卷11期　頁116－135　1984年12月

0743　羊　我　用對比來寫詩

中國語文　56卷3期（總333）　頁86－87　1985年3月

0744　謝世涯　論詩詞的對比手法

古典文學　第七集（下）　頁729－742　台北　台灣學生書局　1985年8月初版

0745　李　敦　對比的設計

中國語文　57卷2期（總338）　頁66－69　1985年8月

0746　林覺中　對比的典範

國文天地　1卷8期（總8）　頁45　1986年1月

文章礎石及其他　頁113－115　台北　文津出版社　1990年11月初版

0747　蕭　蕭　對比的力量

現代詩學　頁190－197　台北　東大圖書公司　1987年4月初版

0748　殷　維　描寫人物的對照手法
古代名家寫作技巧漫談　頁228－232　台北　木鐸出版社　1987年7月初版

0749　林文欽　詩歌的對比藝術
民眾日報　1988年2月1日

0750　高梅憶　與陳伯之書對比技巧分析
國文天地　8卷8期（總92）　頁30－35　1993年1月

0751　唐文德　詩詞中的對比技巧與感情表達
語文教育通訊　16期　頁1－2　1998年6月

0752　林覺中　談對比
文章礎石及其他　頁39－41　台北　文津出版社　1990年11月初版

0753　彭華生　對比
語言藝術妙趣百題　第四部修辭舉要　頁418－420　台北　智慧大學出版社　1994年9月初版

0754　平　心　凸顯文義的對比修辭
國語日報　1995年12月28日13版

0755　林于弘　《史記・管晏列傳》中的對比技巧
中國語文　82卷2期（總488）　頁57－61　1998年2月

0756　鍾正道　張愛玲散文的對照筆法淺析
中國文化月刊　227期　頁81－91　1999年2月

0757　魏靖峰　「山中避雨」的對比技巧
中國語文　89卷1期（總529）　頁62－63　2001年7月

0758　張瑞興　北宋山水小品文中的對比寫作技巧
中國語文　89卷4期（總532）　頁51－54　2001年10月

0759　黃奕珍　范成大使金絕句中以「時間之對比」形塑「蠻荒北地」的修辭策略
台大中文學報　17期　頁161－163＋165－184　2002年12月

0760　汪嘉斐　修辭教學中的俄漢對比
俄語學報　6期　頁1－13　2003年6月

0761　施筱雲　《莊子》寓言中的人物形象對比
修辭論叢　第六輯　頁548－570　中國修辭學會、玄奘大學中文

系編　台北　洪葉文化事業公司　2004 年 11 月初版

雙關格（諧音）

0762　胡紅波　論歌謠之「雙關」義
成功大學學報（人文篇）　12 期　頁 113－135　1977 年 5 月
前衛叢刊　1 期　頁 167－185　1978 年 5 月

0763　蕭　蕭　現代詩泛論：雙關與歧義
文藝月刊　144 期　頁 64－71　1981 年 6 月
現代詩學　頁 288－296　台北　東大圖書公司　1987 年 4 月初版

0764　周榮杰　台灣諺語的雙關
台南文化　26 期　頁 39－57　1988 年 12 月

0765　何永清　漫談雙關
中國語文　64 卷 2 期（總 380）　頁 47－48　1989 年 2 月

0766　王希杰　漢字雙關
中國語文　70 卷 1 期（總 415）　頁 23－26　1992 年 1 月

0767　董季棠　中學國文修辭講話——談雙關
中國語文　70 卷 2 期（總 416）　頁 18－20　1992 年 2 月

0768　張春榮　理絲入殘機，何悟不能匹——談雙關
明道文藝　192 期　頁 17－21　1992 年 3 月

0769　康家瓏　阿凡提理髮——談雙關
中國語文趣話　頁 186－192　台北　雲龍出版社　1993 年 10 月初版

0770　彭華生　雙關
語言藝術妙趣百題　第四部修辭舉要　頁 411－414　台北　智慧大學出版社　1994 年 9 月初版

0771　張春榮　不敢下水的是陸游——談雙關
修辭行旅　頁 265－278　台北　東大圖書公司　1996 年 1 月初版

0772　楊鴻銘　杜光庭「虬髯客傳」等文雙關論
孔孟月刊　35 卷 7 期（總 415）　頁 48－49　1997 年 3 月

0773　鍾玖英　雙關類型初探
中國語文　80 卷 5 期（總 479）　頁 53－58　1997 年 5 月

0774　高萬雲　淺議並重雙關
中國語文　81卷4期（總484）　頁77－78　1997年10月

0775　黃麗貞　「雙關」修辭格
中國語文　83卷2期（總494）　頁16－23　1998年8月

0776　趙公正　以物喻道，語帶雙關的作文法——以「下棋」爲例
中國語文　83卷3期（總495）　頁34－38　1998年9月

0777　何永清　談雙關
修辭漫談　頁24－27　台北　台灣商務印書館　2000年4月初版

0778　何永清　語文的雙關趣味
修辭漫談　頁28－29　台北　台灣商務印書館　2000年4月初版

0779　吳禮權　照花前後鏡，花面交相映——論中國文學中的雙關修辭模式
國文天地　16卷4期（總184）　頁39－43　2000年9月

0780　陳忠信　國中國文雙關修辭創意教學法——以二〇〇二年世足賽各大報紙新聞標題實作練習爲例
國文天地　18卷6期（總210）　頁96－99　2002年11月

0781　王昌煥　雙關（上）
翰林文苑天地　1期　2000年11月7版

0782　王昌煥　雙關（中）
翰林文苑天地　2期　2000年12月2版

0783　王昌煥　雙關（下）
翰林文苑天地　3期　2001年1月

0784　王良友　河洛歌仔戲對於歇後語的援引狀況——以雙關式爲例
國文天地　19卷2期（總218）　頁75－78　2003年7月

0785　郭郁伶　視覺雙關之設計應用探討
商業設計學報（國立台中技術學院商業設計系）　7期　頁397－406　2003年7月

0786　鍾玖英　論雙關的文學功能
國文天地　19卷5期（總221）　頁87－92　2003年10月

0787　陳忠信　國中國文雙關修辭法與語文教學應用——以電視廣告分析與創作爲例
修辭論叢　第五輯　頁220－250　中國修辭學會、台灣師大國文

系編　台北　洪葉文化事業公司　2003 年 11 月初版

0788　施育龍　網路上的「諧聲」、「注音」、「顏文字」
修辭論叢　第五輯　頁 97－119　中國修辭學會、台灣師大國文系編　台北　洪葉文化事業公司　2003 年 11 月初版

0789　魏聰祺　雙關分類及其辨析
台中師院學報　17 卷 2 期　頁 199－223　2003 年 12 月

0790　黃文正　台灣閩南方言歇後語中的雙關趣味
修辭論叢　第六輯　頁 332－350　中國修辭學會、玄奘大學中文系編　台北　洪葉文化事業公司　2004 年 11 月初版

0791　沈　謙　口語傳播中的諧音雙關與詞義雙關
修辭論叢　第六輯　頁 512－535　中國修辭學會、玄奘大學中文系編　台北　洪葉文化事業公司　2004 年 11 月初版

2039　鄔佳玲　雙關語應用於平面廣告之研究——以 1989－2003 年之遠見雜誌爲例
輔仁大學應用美術學系碩士班碩士論文　2004 年　馮永華指導

0792　蔡謀芳　「欲濟無舟楫」是雙關？是譬喻？——論雙關格的界域
國文天地　21 卷 5 期（總 245）頁 10－14　2005 年 10 月

諧　音

0793　彭華生　諧音
語言藝術妙趣百題　第四部修辭學要　頁 424－426、427－430　台北　智慧大學出版社　1994 年 9 月初版

0794　王之敏　「吳歌」、「西曲」諧音現象探討
雲漢學刊（成功大學）　8 期　頁 109－132　2001 年 6 月

0795　孟守介　諧音漫談
語文應用漫談　頁 105－107　台北　台灣商務印書館　2002 年 1 月初版

0796　孟憲愛　諧音的方方面面（一）
國文天地　20 卷 3 期（總 231）　頁 83－85　2004 年 8 月

0797　孟憲愛　諧音的方方面面（二）
國文天地　20 卷 4 期（總 232）　頁 73－77　2004 年 9 月

0798　孟憲愛　諧音的方方面面（三）

國文天地　20 卷 5 期（總 233）　頁 66－70　2004 年 10 月

倒反格（反諷）

0799　林春蘭　杜詩中的「倒反」
中國語文　60 卷 2 期（總 356）　頁 76－81　1987 年 2 月

0800　杜松柏　倒反
詩與詩學　陸・作法　頁 193－196　台北　洙泗出版社　1990 年 12 月初版

0801　張春榮　三年將拜君賜——談反諷
明道文藝　191 期　頁 74－80　1992 年 2 月

0802　金正起　反諷在三國演義中的運用
中國語文　71 卷 1 期（總 421）　頁 48－58　1992 年 7 月

0803　董季棠　中學國文修辭講話——談倒反
中國語文　71 卷 6 期（總 426）　頁 25－29　1992 年 12 月

0804　張春榮　世間有多少這樣的傻子—反諷
一把文學的梯子　頁 255－272　台北　爾雅出版社　1993 年 7 月初版

0805　康家瓏　絕密文件——談反語
中國語文趣話　頁 182－185　台北　雲龍出版社　1993 年 10 月初版

0806　彭華生　諷刺
語言藝術妙趣百題　第四部修辭舉要　頁 398－402　台北　智慧大學出版社　1994 年 9 月初版

0807　張春榮　嘲諷與修辭
中央日報　1995 年 1 月 12 日 21 版

0808　張春榮　喉嚨都要伸出手——談嘲諷與修辭
修辭行旅　頁 129－137　台北　東大圖書公司　1996 年 1 月初版

0809　林于弘　台語詩中的反諷世界——以向陽「土地的歌」爲例
台灣人文（台灣師大）　2 期　頁 109－130　1998 年 7 月
台灣詩學季刊　33 期　頁 138－152　2000 年 12 月

0810　張春榮　極短篇的反諷呈現

中國語文　86卷1期（總511）　頁29－32　2000年1月

0811　陳昭霏、傅榮珂　「儒林外史」諷刺藝術之研究
嘉義大學學報　69期　頁93－114　2000年4月

0812　張慧珍　試析魯迅〈祝福〉中之嘲諷手法
中國語文　87卷6期（總522）　頁77－80　2000年12月

0813　黃麗貞　「諷喻」修辭格
中國語文　89卷6期（總534）　頁7－17　2001年12月

0814　黃麗貞　「倒反」修辭格
中國語文　92卷1期（總547）　頁7－14　2003年1月

0815　高明誠　漫談倒反辭
中國語文　93卷2期（總554）　頁88－91　2003年8月

0816　陳仲義　反諷：語境對陳述語的明顯歪曲
現代詩技藝透析　頁29－34　台北　文史哲出版社　2003年12月初版

象徵格（附隱喻、比興）

0817　若　櫻　文學的象徵經驗
徵信新聞報　1964年11月16日5版

0818　周伯乃　論詩的象徵性
新文藝　136期　頁16－26　1967年7月

0819　鄭郁卿　釋屯之三兼論易之象徵
孔孟月刊　9卷1期　頁20－23　1970年9月
易經研究論集　頁379－388　台北　黎明文化事業公司　1981年1月

0820　黃慶萱　文學的象徵
中華文化復興月刊　7卷11期　頁53－60　1974年11月

0821　彭　毅　屈原作品中隱喻和象徵的探討
文學評論　第1集　頁293－325　書評書目出版社　1975年5月

0822　李文彬　王文興「龍天樓」中的象徵技巧
中華文藝　12卷5期　頁75－89　1977年1月
文學論集　頁72－86　1977年2月

0823　高眾望　「老薑更辣」的幽默筆調與象徵手法
台灣文藝　5期　頁201－212　1978年3月

0824　方祖燊　談詩的象徵
文藝月刊　108期　頁13－24　1978年6月

0825　鄭明娳　儒林外史中的象徵技巧
國魂　402期　頁39－41　1979年5月

0826　林後淑　排比與象徵──從「小耘的週歲」談起
中國語文　53卷4期（總316）　頁52－56　1983年10月

0827　方　介　略論阮籍詠懷詩中的象徵
中華文化復興月刊　18卷5期　頁32－37　1985年5月

0828　王逢吉　文學創作的象徵
文學創作與欣賞　第六章　頁49－56　台北　康橋出版事業公司　1985年5月六版

0829　黃景進　中國詩中的象徵
中國詩歌研究　頁331－354　中華文化復興運動推行委員會主編　中央文物供應社　1985年6月

0830　鍾　玲　先秦文學中楊柳的象徵意義
古典文學　第七集　頁149－187　台北　台灣學生書局　1985年8月

0831　朱學瓊　詩的意象與象徵
大陸雜誌　71卷3期　頁9－15　1985年9月
劍花詩研究　第八章　頁186－195　台北　台灣省文獻委員會　1990年5月

0832　陳新雄　論詩經中的楊柳意象：對鍾玲女士「先秦文學中楊柳的象徵意義」一文的商榷
國文學報　15期　頁11－22　1986年6月
文字聲韻論叢　頁345－358　台北　東大圖書公司　1994年1月初版

0833　陳新雄　詩經中的楊柳意象象徵什麼
國文天地　2卷4期（總16）　頁36－39　1986年9月

0834　蕭　蕭　象徵象徵，象而有徵

現代詩學　頁307－314　台北　東大圖書公司　1987年4月初版

0835　陳啓佑　銅鏡在古詩中的象徵意義
普遍的象徵　頁1－25　台北　業強出版社　1987年5月初版

0836　魏靖峰　從「象徵」談起
中國語文　64卷6期（總384）　頁43－46　1989年6月

0837　沈　謙　特定的象徵
明道文藝　178期　頁140－160　1991年1月

0838　吳秀餘　談中國的人格性象徵詩（上）
中國語文　72卷3期（總429）　頁47－53　1993年3月

0839　吳秀餘　談中國的人格性象徵詩（下）
中國語文　72卷4期（總430）　頁70－75　1993年4月

0840　唐文德　論魏風碩鼠的象徵比喻藝術
逢甲學報　26期　頁1－6　1993年11月

0841　唐文德　文學創作與象徵表現
國文天地　9卷9期（總105）　頁58－61　1994年2月

0842　蔡宗陽　中學修辭講座——象徵的解說與活用
國文天地　10卷9期（總117）　頁67－71　1994年2月
應用修辭學　第二章第十節　頁134－142　台北　萬卷樓圖書公司　2001年5月初版

0843　彭華生　象徵
語言藝術妙趣百題　第四部修辭學要　頁403－406　台北　智慧大學出版社　1994年9月初版

0844　楊鴻銘　李白「長干行」等文象徵論
孔孟月刊　35卷5期（總413）　頁50－51　1997年1月

0845　董錦燕　余光中詩裏的蓮花象徵
修辭論叢　第二輯　頁87－105　中國修辭學會、高雄師大國文系編　台北　洪葉文化事業公司　2000年7月初版

0846　黃麗貞　「象徵」修辭法
中國語文　88卷1期（總523）　頁14－23　2001年1月

0847　丁威仁　論岩上詩裡「血」意象的象徵意涵
修辭論叢　第三輯　頁623－648　銘傳大學應用中文系所、中國

修辭學會、中國語文學會編　台北　洪葉文化事業公司　2001 年 6 月初版

0848　吳俐雯　杜甫〈沙苑行〉中馬的象徵
中國語文　90 卷 2 期（總 536）　頁 63－65　2002 年 2 月

0849　余志挺　阮籍文學中「象徵」修辭格的運用與意涵
東方人文學誌　1 卷 1 期　頁 173－198　2002 年 3 月

0850　解昆樺　從象徵修辭擴散到類疊修辭——周鼎現代詩劇「一具空空的白」的純粹存在
台灣詩學季刊　38 期　頁 110－122　2002 年 3 月

0851　陳昭銘　試論嵇康詩中道家（教）語詞之象徵
修辭論叢　第四輯　頁 309－335　中國修辭學會、輔仁大學中文系編　台北　洪葉文化事業公司　2002 年 6 月初版

0852　楊鴻銘　象徵與短語的寫法
中國語文　91 卷 1 期（總 541）　頁 28－35　2002 年 7 月

0853　沈　謙　論象徵
修辭方法析論　頁 83－140　台北　文史哲出版社　2002 年 10 月初版

0854　沈　謙　嫦娥奔月的象徵意義
中外文學　15 卷 3 期　頁 4－17　1986 年 8 月
修辭方法析論　頁 321－340　台北　文史哲出版社　2002 年 10 月初版

0855　柳作梅　〈嫦娥奔月的象徵意義〉講評
中外文學　15 卷 3 期　頁 18－19　1986 年 8 月

0856　黃奕珍　論〈鳳凰臺〉與〈萬丈潭〉「鳳」、「龍」之象徵意義
漢學研究　21 卷 1 期　頁 163－192　2003 年 6 月
杜甫自秦入蜀詩歌評析　頁 83－128　台北　里仁書局　2005 年 3 月初版

0857　黃文倩　莫言「紅高粱」中的象徵
中國語文　93 卷 5 期（總 557）　頁 77－82　2003 年 11 月

0858　尤純純　李賀詩時間象徵意象的運用
樹人學報　2 期　頁 21－40　2004 年 7 月

附：隱喻

0859　梅祖麟、高友工著　黃宣範譯　唐詩的語意研究：隱喻與典故（上）
中外文學　4卷7期　頁116－129　1975年12月

0860　梅祖麟、高友工著　黃宣範譯　唐詩的語意研究：隱喻與典故（中）
中外文學　4卷8期　頁66－84　1976年1月

0861　梅祖麟、高友工著　黃宣範譯　唐詩的語意研究：隱喻與典故（下）
中外文學　4卷9期　頁166－190　1976年2月

0862　簡政珍　隱喻與換喻——以唐詩爲例
中外文學　12卷2期　頁6－18　1983年7月

0863　蔡嬌敏　三類隱喻的跨文化研究
輔仁大學語言學研究所碩士論文　1985年　許洪坤指導

0864　江碧珠　《詩經》蔓草類植物之隱喻與轉喻模式析論
東海大學文學院學報　42期　頁1－21　2001年7月

0865　林碧慧　大觀園隱喻世界——從方所認知角度探索小說的環境映射
東海大學中國文學系碩士論文　2002年　周世箴指導

0866　陳仲義　隱喻：表達之外的深度指向
現代詩技藝透析　頁22－28　台北　文史哲出版社　2003年12月初版

0867　彭心怡　流浪者之歌的隱喻
興大中文研究生論文集　9集　頁185－215　2004年5月

0868　劉慧珠　阮籍「詠懷詩」的隱喻世界——以「鳥」的意象映射爲例
東海中文學報　16期　頁105－142　2004年7月

0869　黃奕珍　杜甫自秦入蜀紀行詩中的人生隱喻
杜甫自秦入蜀詩歌評析　頁1－39　台北　里仁書局　2005年3月初版

0870　林淑貞　從詩義類比看李賀〈馬詩〉自我隱喻與歷史取譬
興大中文學報　17期　頁195－229　2005年6月

附：比興

0871　朱介凡　諺語的賦、比、興
反攻　172期　頁16－19　1957年1月

0439　程兆熊　中國文學上之比興與夸飾
大學生活　3卷11期　頁16－18　1958年3月
中國文學論　頁127－170　台北　大林出版社　未註出版年月

0872　徐復觀　釋詩的比興——重新奠定中國詩的欣賞基礎
民主評論　9卷15期　頁2－8　1958年8月

0873　高葆光　詩賦比興正詁
東海學報　2卷1期　頁75－96　1960年6月

0874　朱介凡　諺語的比興
中國語文　13卷4期（總76）　頁29－32　1963年10月

0875　劉光義　釋詩賦比興之興
大陸雜誌　34卷2期　頁14－17　1967年1月

0876　李豐楙　賦比興之新釋
文風　15期　頁33－41　1969年6月

0877　王靜芝　詩比興釋例
中山學術文化集刊　5期　頁557－580　1970年3月

0878　戴君仁　賦比興的我見
文史哲學報　20期　頁321－327　1971年6月

0879　何寄澎　詩經比興探究
幼獅月刊　36卷2期　頁26－33　1972年8月

0880　弓英德　詞之賦比興
文史學報（中興）　2期　頁7－26　1972年5月

0881　王秉鈞　略談詩經之助詞及比興之意
暢流　46卷6期　頁34－36　1972年11月

0882　林信忠　詩經比興二義探究
師院文萃　10期　頁35－41　1973年6月

0883　古添洪　劉勰的賦比興說
今日中國　36期　頁146－153　1974年4月

0884　趙制陽　賦比興新說
台灣教育　295期　頁32－35　1975年7月

0885　陳義芝　略論掌杉詩中的比興
詩人季刊　5期　頁16－18　1976年5月

0886 蔡慧怡 文心雕龍比興隱之現代觀
新潮 32 期 頁 133－141 1976 年 9 月
0887 吳登臺 試論詩經中賦比興的意義
青年戰士報 1978 年 8 月 5－7 日 10 版
0888 周英雄 賦比興的語言結構——兼論早期樂府以鳥起興之象徵意義
中國文化研究所學報 10 期 頁 279－306 1979 年
0889 蘇伊文 詩經比興研究
國立台灣師範大學國文研究所碩士論文 1981 年 余培林指導
0890 徐復觀 釋詩的比興——重新奠定中國詩的欣賞基礎
詩經研究論集（一） 頁 69－90 台北 台灣學生書局 1983 年 11 月初版
中國文學論集 頁 91－117 台北 台灣學生書局 1980 年
0891 戴華輝 詩經賦比興闡要
僑光學報 3 期 頁 33－36 1984 年 8 月
0892 艾治平 興的三種手法
古典詩詞藝術探幽 頁 360－364 台北 學海出版社 1984 年 10 月初版
古典詩詞藝術探幽 頁 348－352 台北 木鐸出版社 1987 年 7 月初版
0893 王念恩 賦、比、興新論
古典文學 第十一集 頁 1－65 台北 台灣學生書局 1990 年 12 月初版
0894 杜松柏 論興
詩與詩學 陸・作法 頁 140－145 台北 洙泗出版社 1990 年 12 月初版
0895 廖美雲 由漢至唐以來「比興」觀之探索——兼談白居易諷喻詩論
台中商專學報（文史社會篇） 25 期 頁 137－192 1993 年 6 月
0896 周慶華 比興修辭法的心理基礎
中央日報 1993 年 8 月 19 日 15 版
文苑馳走 頁 172－175 台北 文史哲出版社 2000年3月初版
0897 顏崑陽 文心雕龍「比興」觀念析論

魏晉南北朝文學論集　頁 369－398　香港中文大學中國語言文學系編　台北　文史哲出版社　1994 年 11 月初版

0898　吳朝輝　修辭格與賦比興──兼論詩經的修辭藝術
東師語文學刊　8 期　頁 91－110　1995 年 6 月

0899　顏崑陽　論詩歌文化中的「託喻」觀念──以《文心雕龍．比興篇》為討論起點
第三屆魏晉南北朝文學與思想學術研討會論文集　第三輯　頁 211－253　國立成功大學中文系主編　台北　文津出版社　1997 年 9 月初版

0900　趙明媛　釋朱熹詩集傳之賦比興
勤益學報　15 期　頁 155－168　1997 年 11 月

0901　唐文德　詩詞中賦與比的運用與藝術
語文教育通訊　17 期　頁 1－2　1999 年 1 月

0902　蔣力餘　略論《易經》的比興
國文天地　16 卷 4 期（總 184）　頁 104－108　2000 年 9 月

0903　楊雅惠　由「意境視域」探究宋詩的比興思維
第五屆中國詩學會議論文集　頁 263－324　國立彰化師範大學國文系主編　2000 年 10 月

0904　歐天發　詩「興而比」、「興兼比」說析論
嘉南學報　27 期　頁 307－317　2001 年 11 月

0905　周肇基　談賦比興
你也可以作詩　頁 117－132　高雄　麗文文化事業公司　2002 年 1 月

0906　林淑貞　擬譬與寓寄──從〈鴟鴞〉辨析「比」、「比興」與「寓言詩」之異同
孔孟月刊　40 卷 11 期　頁 30—37　2002 年 7 月

0907　沈　謙　比興之界義與原則
修辭方法析論　頁 25－64　台北　文史哲出版社　2002 年 10 月初版

0908　黃翠芬　中國詩學中比興意象的傳統思維
朝陽學報　8 卷 1 期　頁 153－164　2003 年 9 月

0909　朴泰德　鍾嶸的比興觀
修辭論叢　第五輯　頁1146－1161　中國修辭學會、台灣師大國文系編　台北　洪葉文化事業公司　2003年11月初版

0910　朱孟庭　《詩經》興取義析論
東吳中文學報　10期　頁1－36　2004年5月

0911　王靖丰　詩經比興辨說
文學前瞻：南華大學文學所研究生學刊　5期　頁1+3－16　2004年7月

0912　李先國　朱自清對「賦、比、興」的闡釋與運用
東方人文學誌　3卷4期　頁211－219　2004年12月

0913　朱明勛　也談《詩經》的賦比興
孔孟月刊　44卷3－4期　頁5－12　2005年12月

呼告格

0914　林春蘭　杜詩中的「呼告」
中國語文　59卷6期（總354）　頁69－72　1986年12月

0915　董季棠　中學國文修辭講話——談呼告
中國語文　69卷1期（總409）　頁17－20　1991年7月

0916　楊鴻銘　白居易與元微之書等文呼告論
孔孟月刊　33卷1期（總385）　頁47　1994年9月

0917　黃麗貞　「呼告」修辭格
中國語文　82卷2期（總488）　頁15－20　1998年2月

0480　蔡謀芳　敘事觀點的跳換——示現與呼告
國文天地　15卷1期（總169）頁103－107　1999年6月
辭格比較概述　頁73－79　台北　台灣學生書局　2001年8月初版

類疊格

0918　裴普賢　詩詞曲疊句欣賞研究　台北　三民書局　1969年2月初版
1. 疊句的名稱範圍和定義　頁5－17
2. 詩經疊句欣賞研究　頁19－39
3. 樂府詩疊句欣賞研究　頁41－61

4. 唐宋詞疊句欣賞研究　頁 63－74
5. 戲曲疊句欣賞研究　頁 75－129
6. 現代新詩歌曲疊句欣賞研究　頁 131－185
7. 非韻文疊句欣賞研究　頁 187－209
8. 疊句的產生因素與功能　頁 211－228

0919　劉秋潮　風詩使用疊字的藝術
民主評論　9 卷 11 期　頁 24－25　1958 年 6 月

0920　倪志僩　從古典詩詞中列舉重言連用之例
大陸雜誌　20 卷 5 期　頁 27、32　1960 年 3 月

0921　柯文仁　重疊複詞的用法
中國語文　13 卷 6 期（總 78）　頁 55－64　1963 年 12 月

0922　陳　香　楚辭中的疊字研究
學粹　9 卷 1－2 期　頁 7　1966 年 12 月、1967 年 2 月

0923　林本元　疊字雜錦
台北文獻　6－8 期　頁 248－156　1969 年 12 月

0924　童元方　詩經的疊字藝術及其他
幼獅月刊　36 卷 1 期　頁 42－45　1972 年 7 月

0925　凌琴如　重言疊字
中國語文散論　頁 81－97　台北　台灣開明書店　1973 年 12 月初版

0926　陳寶條　國小國語課文中之重疊詞研究
國教天地　10 期　頁 22－25　1975 年 1 月
國教天地　11 期　頁 36－39　1975 年 4 月

0927　陳啓佑　新詩形式設計的美學基礎——第一篇：類疊
中華文藝　11 卷 4 期　頁 100－109　1976 年 6 月
中華現代文學大系（15）　評論卷·貳　頁 993－1008　台北　九歌出版社　1989 年 5 月初版
新詩形式設計的美學　第一章　類疊　頁 1－18　台中　台灣詩學季刊雜誌社　1993 年 2 月初版

0928　蔡宗陽　重疊法的修辭
文燈——文章作法講話　頁 95－97　台北　國語日報社　1977 年

11月1版

0929　羅聯絡　漢魏晉詩的疊字句法
建設　28卷6期　頁27－29　1979年11月

0930　鄭紹蒸　指導學生多用重疊詞
中國語文　53卷4期（總316）　頁51　1983年10月

0931　艾治平　疊字、疊句、排比
古典詩詞藝術探幽　頁335－341　台北　學海出版社　1984年10月初版
古典詩詞藝術探幽　頁324－330　台北　木鐸出版社　1987年7月初版

0932　黎凱旋　周易疊字的深遠意義
中華易學　7卷7－8期　1986年9－10月

0933　陳　香　疊字詞語入詩句
國文天地　2卷9期（總21）　頁78－79　1987年2月

0934　蕭　蕭　層疊便是美──字句的層疊、形式的層疊、物類的層疊
現代詩學　頁198－228　台北　東大圖書公司　1987年4月初版

0935　余培林　三百篇中疊字不作動詞說
國文學報　17期　頁1－8　1988年6月

0936　趙淑貞等　國小國語課文類疊修辭實例研析──疊字（上）
國教月刊　36卷1－2期　頁60－62　1989年10月

0937　趙淑貞等　國小國語課文類疊修辭實例研析──疊字（下）
國教月刊　36卷3－4期　頁50－56　1989年12月

0938　趙淑貞等　國小國語課文類疊修辭實例研析──類字（上）
國教月刊　36卷5－6期　頁58－64　1990年2月

0939　趙淑貞等　國小國語課文類疊修辭實例研析──類字（下）
國教月刊　36卷7－8期　頁60－64　1990年4月

0940　趙淑貞等　國小國語課文類疊修辭實例研析──類句、疊句
國教月刊　36卷9－10期　頁62－64　1990年6月

0941　李若鶯　由竹山詞探討「類疊」在詞中的應用
高雄師大學報　1期　頁99－118　1990年5月

0942　張春榮　不盡長江滾滾來──疊字

明道文藝　170 期　頁 28－31　1990 年 5 月
修辭散步　頁 147－165　台北　東大圖書公司　1991 年 9 月初版

0943　杜松柏　重疊
詩與詩學　陸．作法　頁 187－192　台北　洙泗出版社　1990 年 12 月初版

0944　李若鶯　「類疊」在詞中的修辭作用——兼論蔣捷《竹山詞》的「類疊」現象
花落蓮成——詞學瑣論　頁 29－80　高雄　復文圖書出版社　1992 年 2 月初版

0945　董季棠　中學國文修辭講話——談複疊
中國語文　70 卷 5 期（總 419）　頁 39－43　1992 年 5 月

0946　蒲　人　絕妙的疊字
中國語文　71 卷 6 期（總 426）　頁 19－24　1992 年 12 月

0947　張春榮　唯獨水照樣流著它千古的幽幽——疊字
一把文學的梯子　頁 133－140　台北　爾雅出版社　1993 年 7 月初版

0948　蔡宗陽　中學修辭講座——類疊的解說與活用
國文天地　9 卷 2 期（總 98）　頁 64－71　1993 年 7 月
應用修辭學　第三章第一節　頁 158－176　台北　萬卷樓圖書公司　2001 年 5 月初版

0949　鄭同元　類疊修辭教學探討
人文及社會學科教學通訊　5 卷 4 期　頁 193－207　1994 年 12 月

0950　沈完白　漫談疊字複詞
中國語文　76 卷 5 期（總 455）　頁 89－93　1995 年 5 月

0951　黃麗貞　由「複疊」修辭格看字詞重複的運用
中國現代文學理論　11 期　頁 324－337　1998 年 9 月

0952　高平平　疊字的修辭功用
中國語文　83 卷 6 期（總 498）　頁 47－51　1998 年 12 月

0953　魏靖峰　試析杜甫七律的疊字
人文及社會學科教學通訊　9 卷 6 期　頁 116－125　1999 年 4 月

0954　譚汝爲　形雖相疊，意卻相迴——談古詩文中一種特殊的「疊字」

中國語文　85卷4期（總508）　頁60－64　1999年10月

0955　何永清　類疊修辭的對聯
修辭漫談　頁72－74　台北　台灣商務印書館　2000年4月初版

0956　林佳樺　屈賦中的「類疊」修辭
修辭論叢　第二輯　頁107－159　中國修辭學會、高雄師大國文系編　台北　洪葉文化事業公司　2000年7月初版

0957　陳正治　類疊與層遞修辭法概論
應用語文學報（台北市立師範學院）　3期　頁121－138　2001年6月

0958　沈寶春　西周金文重疊詞探析——以《殷周金文集成》簠鐘類銘文爲例
王叔珉先生學術成就與薪傳研討會論文集　頁269－285　台北　國立台灣大學中國文學系編印　2001年8月

0959　陳　凌　現代散文詞彙風格「重疊詞」的結構方式
淡水牛津台灣文學研究集刊　4期　頁101－108　2001年8月

0960　魏聰祺　疊字修辭
中師語文　12期　頁14－25　2002年6月

0961　李鵑娟　國風疊字詞研究
修辭論叢　第四輯　頁391－417　中國修辭學會、輔仁大學中文系編　台北　洪葉文化事業公司　2002年6月初版

0962　張其昀　詩經疊字通論
經學研究論叢　第十輯　頁49－74　台北　台灣學生書局　2002年3月

0963　劉麗卿　清代台灣八景詩使用的疊字
清代台灣八景與八景詩　附錄二　頁390－393　台北　文津出版社　2002年4月初版

0964　杜淑貞　類疊法與現代文學創作
中國語文　92卷3期（總549）　頁67－75　2003年3月

0965　周娟娟　《韓非子・儲說》——類疊
修辭論叢　第五輯　頁761－776　中國修辭學會、台灣師大國文系編　台北　洪葉文化事業公司　2003年11月初版

0966　魏聰祺　疊字的語言結構及修辭

修辭論叢　第五輯　頁 991－1016　中國修辭學會、台灣師大國文系編　台北　洪葉文化事業公司　2003 年 11 月初版

0967　魏聰祺　疊字分類及其辨析
國教輔導　43 卷 5 期（總 361）　頁 14－23　2004 年 6 月

0968　仇小屏　從詞類的角度看「疊字」
中國語文　96 卷 5 期（總 575）　頁 46－50　2005 年 5 月

0969　張慧美　廣告標語重疊詞析論
中國語文　97 卷 5 期（總 581）　頁 45－50　2005 年 11 月

對偶格

0970　張仁青　麗辭探賾
台北　文史哲出版社　1984 年 3 月初版

0971　李月啓　中國唯美文學之對偶藝術
台北　明文書局　1991 年 7 月初版

0972　古田敬一　中國文學的對句藝術
台北　祺齡出版社　1994 年 9 月初版（原由吉林文史出版社出版）

0973　張思齊　詩文批評中的對偶範疇
台北　文津出版社　1995 年 9 月初版

0974　許世瑛　對偶句法與駢文
大陸雜誌　1 卷 6 期　頁 18－20　1950 年 9 月
許世瑛先生論文集　頁 873－878　台北　弘道文化事業有限公司　1974 年 8 月初版

0975　趙文富　詩之對偶
詩學集刊　頁 483－493　國立台灣師範大學國文系　1969 年 5 月

0976　陳弘治　對仗第十四
詞學今論　頁 213－225　台北　文津出版社　1971 年 10 月初版　1991 年 7 月增訂二版

0977　凌琴如　對偶的聯字
中國語文散論　頁 75－80　台北　台灣開明書店　1973 年 12 月初版

0978　周紹賢　對偶

中國文學論衡　19 章　頁 241－245　台北　文景出版社　1975 年 3 月初版

0979　蔡宗陽　對偶法的修辭
文燈──文章作法講話　頁 84－87　台北　國語日報社　1977 年 11 月 1 版

0980　徐鳳城　杜甫律詩之對仗表現
杜甫律詩研究　第六章　頁 91－107　國立台灣師範大學國文研究所碩士論文　1985 年　李殿魁指導

0981　陳永寶　近體詩在對仗方面的欣賞與應用
中台校刊　28 期　頁 12－21　1986 年 1 月

0982　楚　僑　關於對偶與聲律
藝林叢錄　第九編　頁 68－72　台北　谷風出版社　1986 年 9 月

0983　林春蘭　杜詩中的對偶
中國語文　60 卷 4 期（總 358）　頁 68－74　1987 年 4 月

0984　唐海濤　鮑照詩中的對偶句
中華文化復興月刊　21 卷 3 期（總 240）　頁 73－75　1988 年 3 月

0985　黃水雲　論南朝駢賦之對偶現象
魏晉南北朝學術國際會議　1988 年 12 月

0986　何永清　漫談對偶
中國語文　64 卷 5 期（總 383）　頁 78－79＋65　1989 年 5 月

0987　適　生　成語中的當句對舉隅
中國語文　66 卷 6 期（總 396）　頁 73　1989 年 10 月

0988　黃永武　詩歌對仗之美
詩詞曲的研究　頁 216－227　中華文化復興運動推行委員會　1991 年 2 月初版

0989　林文月　康樂詩的藝術均衡美──以對偶句爲例
台大中文學報　4 期　頁 53－80　1991 年 6 月

0990　李月啓　詩詞之對偶藝術
中國唯美文學之對偶藝術　頁 92－93　台北　明文書局　1991 年 7 月初版

0991　張春榮　鄉夢窄，水天寬──談對偶

明道文藝　187 期　頁 16－23　1991 年 10 月
修辭行旅　頁149－222　台北　東大圖書公司　1996年1月初版

0992　周榮杰　台灣諺語的對偶
台南文化　32 期　頁 101－139　1991 年 12 月

0993　董季棠　中學國文修辭講話——談對偶
中國語文　70 卷 3 期（總 417）　頁 15－18　1992 年 3 月

0994　楊鴻銘　與陳伯之書的對偶方法
國文天地　8 卷 8 期（總 92）　頁 23－25　1993 年 1 月

0995　松浦友久著　孫昌武、鄭天剛譯　中國古典詩中對偶的諸型態——以唐詩爲中心
中國詩歌原理　第六篇　頁 196－234　台北　洪葉文化事業公司　1993 年 5 月初版

0996　蔡宗陽　論對偶的分類
林尹教授逝世十週年學術研討會　國立台灣師範大學　1993 年 6 月
修辭學探微　頁239－253　台北　文史哲出版社　2001年4月初版

0997　蔡宗陽　中學修辭講座——對偶的解說與活用
國文天地　9 卷 7 期（總 103）　頁 101－105　1993 年 12 月
應用修辭學　第三章第二節　頁 176－188　台北　萬卷樓圖書公司　2001 年 5 月初版

0998　韋金滿　略論江淹恨別二賦之對偶
魏晉南北朝文學論集　頁 273－293　香港中文大學中國語言文學系編　台北　文史哲出版社　1994 年 11 月初版
古典文學論叢　頁 41－73　高雄　復文書局　1999 年 1 月初版

0999　王熙元　論詩中的對句
王靜芝先生八秩壽辰論文集　輔仁大學中文系所　1995 年

1000　陳萬成　對偶新探——以永嘉四靈詩爲例
漢學研究　13 卷 1 期　頁 223－237　1995 年 6 月

1001　劉福增　《老子》對偶造句與思考的邏輯分析與批判
國立編譯館館刊　24 卷 2 期　頁 25－73　1995 年 12 月

1002　陳啓佑　新詩形式設計的美學：對偶篇
國立彰化師範大學國文系集刊　1 期　頁 1－36　1996 年 6 月

新詩形式設計的美學　第二章　對偶　頁 19－70　台中　台灣詩學季刊雜誌社　1993 年 2 月初版

1003　張春榮　對偶與兼用
修辭萬花筒　頁 65－70　台北　駱駝出版社　1996 年 9 月初版

1004　張夢機　對偶的體與用
古典詩的形式結構　頁 139－160　台北　駱駝出版社　1997 年 7 月初版

1005　許清雲　對仗
近體詩創作理論　第四章　頁 159－209　台北　洪葉文化事業公司　1997 年 9 月初版

1006　張清榮　談對仗
巧思妙手織錦文（上）──各體文章寫作指導　頁 126－128　國立台灣師範大學人文教育研究中心主編　台北　幼獅文化事業公司　1997 年 10 月初版

1007　周碧香　《東籬樂府》對偶句的同義詞分析
語文教育通訊　15 期　頁 25－33　1997 年 12 月

1008　周碧香　《東籬樂府》對偶句的語言風格
國立編譯館館刊　27 卷 1 期　頁 185－201　1998 年 6 月

1009　黃麗貞　融入生活中的「對偶」修辭
中國現代文學理論　10 期　頁 184－204　1998 年 6 月

1010　蔡宗陽　文心雕龍之反對類型
修辭論叢　第一輯　頁 515－529　中國修辭學會、台灣師大國文系編　台北　洪葉文化事業公司　1999 年 8 月初版
文心雕龍探賾　頁 167－182　台北　文史哲出版社　2001 年 2 月初版

1011　蔡宗陽　文心雕龍之對偶類型
文心雕龍國際學術研討會論文集　頁 415－428　國立台灣師範大學國文系主編　台北　文史哲出版社　2000 年 3 月
文心雕龍探賾　頁 167－182　台北　文史哲出版社　2001 年 2 月初版

1012　何永清　談對偶

修辭漫談　頁7－10　台北　台灣商務印書館　2000年4月初版

1013　何永清　成語中的當句對

修辭漫談　頁34－36　台北　台灣商務印書館　2000年4月初版

1014　蔡宗陽　海峽兩岸對偶的名稱與分類之比較

修辭學探微　頁267－291　台北　文史哲出版社　2001年4月初版

修辭論叢　第三輯　頁770－796　銘傳大學應用中文系所、中國修辭學會、中國語文學會編　台北　洪葉文化事業公司　2001年6月初版

1015　詹杭倫　清代律賦對偶論

中國古典文學研究　6期　頁109－122　2001年12月

1016　鍾吉雄　談偶對的種類

中國語文　91卷4期（總544）　頁58－71　2002年10月

1017　佐藤浩一　關於杜甫之文──以「典型與對偶的思考」爲線索

杜甫與唐宋詩學──杜甫誕生一二九〇年國際學術研討會論文集　頁693－713　淡江大學中國文學系主編　台北　里仁書局　2003年6月

1018　陳茂仁　對仗

古典詩歌初階　第七章　頁105－117　台北　文津出版社　2003年8月初版

1019　楊寶季　謝朓詩對偶之運用

中國語文　93卷3期（總555）　頁66－74　2003年9月

1020　吳福助　台灣傳統童蒙教育中的「對偶」教材

中國文化月刊　273期　頁1－35　2003年9月

1021　金明求　宋元話本小說中空間描寫之「對偶」修辭

修辭論叢　第五輯　頁865－901　中國修辭學會、台灣師大國文系編　台北　洪葉文化事業公司　2003年11月初版

1022　周碧香　《花影集》對偶現象探析

修辭論叢　第六輯　頁658－676　中國修辭學會、玄奘大學中文系編　台北　洪葉文化事業公司　2004年11月初版

1023　傅武光　律詩對偶法則新探

國文天地　21卷2期（總242）　頁57－61　2005年7月

陳滿銘教授七秩榮退誌慶論文集　頁 350－356　台北　萬卷樓圖書公司　2005 年 7 月

回文格

1024　克　立　也談回文
台灣新生報　1972 年 2 月 6 日 10 版

1025　楊鴻銘　李密陳情表等文回文論
孔孟月刊　28 卷 2 期（總 326）　頁 47－48　1989 年 10 月

1026　何永清　漫談回文
中國語文　65 卷 6 期（總 390）　頁 77－78　1989 年 12 月

1027　張春榮　信言不美，美言不信——回文
修辭散步　頁 197－212　台北　東大圖書公司　1991 年 9 月初版

1028　何永清　回文欣賞舉隅
中國語文　69 卷 6 期（總 414）　頁 43－46　1991 年 12 月

1029　董季棠　中學國文修辭講話——談回文
中國語文　71 卷 5 期（總 425）　頁 30－33　1992 年 11 月

1030　鄭子瑜　漢語特殊的修辭技巧——回文
鄭子瑜修辭學論文集　頁 120－131　台北　書林出版社　1993 年 2 月

1031　張春榮　寂寞的充實，充實的寂寞——回文
一把文學的梯子　頁 167－174　台北　爾雅出版社　1993 年 7 月初版

1032　蔡金雲　回文修辭試探
中國語文　73 卷 5 期（總 437）　頁 70－76　1993 年 11 月

1033　蔡宗陽　中學修辭講座——回文的解說與活用
國文天地　9 卷 11 期（總 107）　頁 66－69　1994 年 4 月
應用修辭學　第三章第六節　頁 216－223　台北　萬卷樓圖書公司　2001 年 5 月初版

1034　黃麗貞　「回文」和「回環」的區分
中國現代文學理論　8 期　頁 521－532　1997 年 12 月

1035　何永清　談回文

修辭漫談　頁11－14　台北　台灣商務印書館　2000年4月初版

1036　京　笛　回環趣說

語文應用漫談　頁246－248　台北　台灣商務印書館　2002年1月初版

排比格

1037　李吉隆　排比格的教學

中國語文　24卷6期（總144）　頁9　1969年6月

1038　蔡宗陽　道德經的排比修辭法

中央日報　1976年9月7日9版

1039　蔡宗陽　排比法的修辭

文燈——文章作法講話　頁76－79　台北　國語日報社　1977年11月1版

0826　林後淑　排比與象徵——從「小耘的週歲」談起

中國語文　53卷4期（總316）　頁52－56　1983年10月

1040　林義烈　甚麼是排比

中國語文　55卷6期（總330）　頁66－69＋45　1984年12月

1041　楊鴻銘　周敦頤愛蓮說排比論

孔孟月刊　24卷1期（總277）　頁42－43　1985年9月

1042　陳銀官等　國小國語課文排比修辭實例研析（上）

國教月刊　35卷1－2期　頁57－60　1988年10月

1043　方正白等　國小國語課文排比修辭實例研析（中）

國教月刊　35卷5－6期　頁60－64　1989年2月

1044　方正白等　國小國語課文排比修辭實例研析（下）

國教月刊　35卷7－8期　頁61－64　1989年4月

1045　張春榮　天知，神知，我知，子知——談排比

明道文藝　188期　頁53－58　1991年11月

修辭行旅　頁223－249　台北　東大圖書公司　1996年1月初版

1046　董季棠　中學國文修辭講話——談排比

中國語文　70卷4期（總418）　頁30－33　1992年4月

1047　陳啓佑　新詩形式設計的美學：排比篇

彰化師範大學學報　3 期　頁 165－187　1992 年 6 月
中外文學　21 卷 9 期（總 249）　頁 107－141　1993 年 2 月
新詩形式設計的美學　第五章　排比　頁 175－222　台中　台灣詩學季刊雜誌社　1993 年 2 月初版

1048　杜淑貞　細說排比法的內容與形式
國教園地　44 期　頁 42－48　1993 年 1 月

1049　康家瓏　語勢與壯膽——談排比
中國語文趣話　頁 193－196　台北　雲龍出版社　1993 年 10 月初版

1050　李錫榕　活用排比錦句
中央日報　1993 年 12 月 9 日 15 版

1051　蔡宗陽　中學修辭講座——排比的解說與活用
國文天地　9 卷 8 期（總 104）　頁 85－91　1994 年 1 月
應用修辭學　第三章第三節　頁 188－201　台北　萬卷樓圖書公司　2001 年 5 月初版

1052　楊鴻銘　洪亮吉與孫述書等文排比論
孔孟月刊　33 卷 6 期（總 390）　頁 52－53　1995 年 2 月

1053　鄭同元　排比修辭教學探討
國語文教育通訊　13 期　頁 42－53　1996 年 12 月

1054　莊銀珠　以排比修辭爲重點的寫作練習
國中作文教學設計活路——國三篇　第貳部分第三單元　頁 34－39　高雄　復文圖書出版社　1997 年 5 月初版

1055　楊鴻銘　文章排比的寫法——以八十六年大學聯考國文作文「家庭教育」爲例
中國語文　81 卷 2 期（總 482）　頁 52－54　1997 年 8 月

1056　張清榮　排比的句子與重複用詞
巧思妙手織錦文（上）——各體文章寫作指導　頁 161－163　國立台灣師範大學人文教育研究中心主編　台北　幼獅文化事業公司　1997 年 10 月初版

1057　王春生　〈愛蓮說〉中的「排比」句法寫作
中央日報　1997 年 10 月 2 日 21 版

1058　黃麗貞　「排比」修辭格（上）
中國語文　82卷5期（總491）　頁19－24　1998年5月

1059　黃麗貞　「排比」修辭格（下）
中國語文　82卷6期（總492）　頁16－19　1998年6月

1060　王昌煥　作文頻道──讓我們來練習排比
明道文藝313期　頁186－193　2002年4月

1061　黃詩惠　羅門詩中排比辭格的運用──試以《羅門詩選》為主
修辭論叢　第四輯　頁209－244　中國修辭學會、輔仁大學中文系編　台北　洪葉文化事業公司　2002年6月初版

1062　楊秀華　李卓吾散文中的「排比」修辭藝術
中國語文　91卷5期（總545）　頁71－80　2002年11月

*0643 楊鴻銘　排比與譬喻
孔孟月刊　43卷9－10期（總513、514）　頁55－57　2005年6月

層遞格

1064　陳啓佑　新詩形式設計的美學基礎第八篇：層遞（上）
中華文藝　12卷2期　頁110－121　1976年10月
新詩形式設計的美學　第四章　層遞　頁119－174　台中　台灣詩學季刊雜誌社　1993年2月初版

1065　陳啓佑　新詩形式設計的美學基礎第八篇：層遞（中）
中華文藝　12卷3期　頁112－124　1976年11月
新詩形式設計的美學　第四章　層遞　頁119－174　台中　台灣詩學季刊雜誌社　1993年2月初版

1066　沈　謙　詩經中的層遞藝術
中央日報　1984年2月8日10版

1067　林春蘭　析論杜詩中的層遞運用
中國語文　59卷2期（總350）　頁68－71　1986年8月

1068　張春榮　天時不如地利，地利不如人和──談層遞
明道文藝　189期　頁30－35　1991年12月

1069　周慶華　人生哲學的層遞藝術

中央日報　1992年8月13日
文苑馳走　頁217－219　台北　文史哲出版社　2000年3月初版

1070　董季棠　中學國文修辭講話——談層遞
中國語文　71卷3期（總423）　頁37－41　1992年9月

1071　張春榮　話多不如話少，話少不如話好——層遞
一把文學的梯子　頁273－288　台北　爾雅出版社　1993年7月初版

1072　許琇禎　「詩經・國風」層遞藝巧析論
孔孟月刊　32卷8期　頁2－9　1994年4月

1073　蔡宗陽　中學修辭講座——層遞的解說與活用
國文天地　10卷1期（總109）　頁86－89　1994年6月
應用修辭學　第三章第四節　頁201－207　台北　萬卷樓圖書公司　2001年5月初版

1074　楊鴻銘　王安石遊褒禪山記等文層遞論
孔孟月刊　35卷1期（總409）　頁52－53　1996年9月

1075　張清榮　談層遞
巧思妙手織錦文（上）——各體文章寫作指導　頁147－150　國立台灣師範大學人文教育研究中心主編　台北　幼獅文化事業公司　1997年10月初版

1076　黃麗貞　「層遞」修辭格
中國語文　83卷1期（總493）　頁15－21　1998年7月

1077　楊鴻銘　文章層遞的寫法——以「我的朋友」爲例
中國語文　87卷3期（總519）　頁46－49　2000年9月

0957　陳正治　類疊與層遞修辭法概論
應用語文學報（台北市立師範學院）　3期　頁121－138　2001年6月

1078　蔡謀芳　論「層遞」——頂真筆法、排比句型
辭格比較概述　頁117－123　台北　台灣學生書局　2001年8月初版

1079　吉田文子　「詩經」疊詠體之層遞表現
南台應用日語學報　2期　頁209－217　2002年6月

1080　蔡宗陽　海峽兩岸層遞的異稱與分類之比較
孔孟月刊　42卷9期（總501）　頁1－5　2004年5月

頂針（真）格（連珠）

1081　林春蘭　杜詩中的「頂真」運用
中國語文　59卷3期（總351）　頁82－86　1986年9月

1082　林麗桂　樂府及詩詞中的頂真——宋以前
中國語文　64卷3期（總381）　頁72－79　1989年3月

1083　張春榮　庭院深深深幾許——頂真
明道文藝　168期　頁21－23　1990年3月
修辭散步　頁123－145　台北　東大圖書公司　1991年9月初版

1084　董季棠　中學國文修辭講話——談頂真
中國語文　71卷4期（總424）　頁21－24　1992年10月

1085　鄭子瑜　談連珠
鄭子瑜修辭學論文集　頁132－145　台北　書林出版社　1993年2月

1086　張春榮　你以淚為標點，點斷了我的渾沌——頂真
一把文學的梯子　頁153－165　台北　爾雅出版社　1993年7月初版

1087　蔡宗陽　中學修辭講座——頂針的解說與活用
國文天地　9卷10期（總106）　頁16－19　1994年3月
應用修辭學　第三章第五節　頁207－215　台北　萬卷樓圖書公司　2001年5月初版

1088　孟昭泉　頂真辭格及其變異形式
中國語文　75卷2期（總446）　頁62－65　1994年8月

1089　張德明　簡談頂真辭格的娛樂作用
中國語文　75卷2期（總446）　頁66－70　1994年8月

1090　高明誠　何謂頂真格？
國文天地　11卷2期（總122）　頁12－13　1995年7月

1091　鄭同元　頂真修辭教學探討
人文及社會學科教學通訊　6卷4期　頁174－187　1995年12月

1092　張清榮　談頂真
巧思妙手織錦文（上）——各體文章寫作指導　頁 151－153　國立台灣師範大學人文教育研究中心主編　台北　幼獅文化事業公司　1997 年 10 月初版

1093　黃麗貞　「頂真」修辭格（上）
中國語文　81 卷 6 期（總 486）　頁 13－18　1997 年 12 月

1094　黃麗貞　「頂真」修辭格（下）
中國語文　82 卷 1 期（總 487）　頁 24－29　1998 年 1 月

1095　謝奇峰　略談漢魏樂府及古詩中的頂真修辭
國文天地　20 卷 10 期（總 238）　頁 64－67　2005 年 3 月

1096　蔡宗陽　海峽兩岸頂針的異稱與分類之比較
陳滿銘教授七秩榮退誌慶論文集　頁 399－409　台北　萬卷樓圖書公司　2005 年 7 月

1097　李麗文　《詩經》「頂針」研究
東吳中文研究集刊　12 期　頁 137－154　2005 年 7 月

1098　呂珍玉　《詩經》頂真修辭技巧探究
中國文化月刊　299 期　頁 1－32　2005 年 11 月

鑲嵌格

1099　沈　謙　鑲嵌中的「鑲字」
中國語文　68 卷 5 期（總 407）　頁 29－35　1991 年 5 月

1100　沈　謙　鑲嵌中的「嵌字」
中國語文　68 卷 6 期（總 408）　頁 23－32　1991 年 6 月

1101　沈　謙　現代文學中的「嵌」字
中國語文　69 卷 2 期（總 410）　頁 37－45　1991 年 8 月

1102　蒲　人　別緻的嵌字
中國語文　69 卷 3 期（總 411）　頁 30－35　1991 年 9 月

1103　黃麗貞　鑲疊修辭格
中國語文　71 卷 3 期（總 423）　頁 32－36　1992 年 9 月

1104　董季棠　中學國文修辭講話——談鑲嵌
中國語文　72 卷 1 期（總 427）　頁 25－31　1993 年 1 月

1105　李應命　〈木蘭詩〉中的「鑲嵌」修辭法辨析
中央日報　1993年7月8日17版

1106　李炳傑　鑲嵌「東」「西」的成語
國語日報　1994年4月29日13版

1107　楊鴻銘　諸葛亮出師表等文鑲嵌論
孔孟月刊　33卷5期（總389）　頁51－52　1995年1月

1108　林于弘　從嵌字技巧看二〇〇一年的選舉平面文宣
中國語文　90卷2期（總536）　頁91－97　2002年2月

1109　李添富　閩南方言裡的視覺摹寫鑲疊詞
修辭論叢　第四輯　頁419－435　中國修辭學會、輔仁大學中文系編　台北　洪葉文化事業公司　2002年6月初版

1110　林于弘　二〇〇二年台北市議員選舉文宣的嵌字技巧——以選舉區爲觀察對象
中國語文　92卷2期（總548）　頁82－84　2003年2月

錯綜格

1111　邵　江　錯綜的藝術
中國語文　57卷5期（總341）　頁51－54　1985年11月

1112　董季棠　中學國文修辭講話——談錯綜
中國語文　70卷6期（總420）　頁37－41　1992年6月

1113　蔡宗陽　中學修辭講座——錯綜的解說與活用
國文天地　10卷3期（總111）　頁68－71　1994年8月
應用修辭學　第三章第七節　頁223－231　台北　萬卷樓圖書公司　2001年5月初版

1114　楊鴻銘　魏徵〈諫太宗十思疏〉等文錯綜論
孔孟月刊　34卷1期（總397）　頁52－53　1995年9月

1115　杜淑貞　試析句法的錯綜變化之妙
花蓮師院院刊　24期　1997年12月

1116　蔡謀芳　「錯綜」之概念與名稱
中國語文　88卷5期（總527）頁25－32　2001年5月
辭格比較概述　頁125－132　台北　台灣學生書局　2001年8月

初版

1117　黃麗貞　「錯綜」修辭格

中國語文　93 卷 1 期（總 553）　頁 8－15　2003 年 7 月

倒裝格

1118　翁世華　楚辭九歌的倒裝法

中華文化復興月刊　8 卷 6 期　頁 49－55　1975 年 6 月

1119　陳啓佑　新詩形式設計的美學基礎：倒裝篇

文訊月刊　12 期　頁 24－26　1984 年 6 月

創世紀詩雜誌　65 期　頁 234－246　1984 年 10 月

七十三年文學批評選　台北　爾雅出版社　頁 15－55　1985 年 3 月初版

新詩形式設計的美學　第三章　倒裝　頁 71－118　台中　台灣詩學季刊雜誌社　1993 年 2 月初版

1120　陳桂敏　國中國文課文裏倒裝句的探討

國民中學國文教學論文研討會論文集　頁 121－142　台北　國立台灣師範大學中等教育輔導委員會編　1989 年 6 月

1121　董季棠　中學國文修辭講話——談倒裝

中國語文　71 卷 1 期（總 421）　頁 20－25　1992 年 7 月

1122　張簡坤明　近體詩中「倒裝」析論

中國詩學會議論文集　頁 227－253　國立彰化師範大學國文系主編　1992 年 9 月

1123　許清雲　唐人近體詩句法之倒裝

東吳中文學報　1 期　頁 211－222　1995 年 5 月

1124　張春榮　不信青春喚不回——倒裝句

台北師院語文集刊　3 期　頁 65－78　1998 年 8 月

1125　黃麗貞　「倒裝」修辭格

中國語文　92 卷 4 期（總 550）　頁 7－14　2003 年 4 月

跳脫格（突接、岔斷、插語、脫略）

1126　蕭　蕭　或岔斷，或跳脫

現代詩學　頁297－306　台北　東大圖書公司　1987年4月初版

1127　林政華　經傳之省略修辭
易學新探　頁161－185　台北　文津出版社　1987年5月初版

1128　何淑貞　一鼓作氣，再而衰，三而竭——談古漢語的省略法
古漢語語法與修辭研究　頁155－183　台北　華正書局　1987年6月初版

1129　駱　梵　修辭學未討論的省略法
國文天地　3卷9期（總33）　頁55　1988年2月

1130　林政華　論語經句的省略修辭法
台北師院學報　1期　頁23－35　1988年6月

1131　杜松柏　節縮
詩與詩學　陸·作法　頁180－186　台北　洙泗出版社　1990年12月初版

1132　董季棠　中學國文修辭講話——談省略
中國語文　73卷1期（總433）　頁23－28　1993年7月

1133　楊鴻銘　韓愈師說等文跳脫論
孔孟月刊　33卷9期（總393）　頁47－48　1995年5月

1134　黃麗貞　「省略」修辭格
中國語文　91卷5期（總545）　頁7－18　2002年11月

互文格

1135　蔡宗陽　中學修辭講座——互文的解說與活用
國文天地　9卷9期（總105）　頁90－93　1994年2月
應用修辭學　第三章第八節　頁232－239　台北　萬卷樓圖書公司　2001年5月初版

1136　黃麗貞　「互文」修辭格
中國語文　81卷1期（總481）　頁14－20　1997年7月

1137　譚汝爲　古典詩中的互文見義
中國語文　81卷2期（總482）　頁55－60　1997年8月

1138　楊鴻銘　文天祥〈正氣歌〉等文互文論
孔孟月刊　37卷1期（總433）　頁51　1998年9月

1139 劉崇義 〈木蘭詩〉中的互文辭格考察
修辭論叢 第一輯 頁 599－610 中國修辭學會、台灣師大國文系編 台北 洪葉文化事業公司 1999 年 8 月初版

1140 劉崇義 互文及其相關辭格的辨析
修辭論叢 第二輯 頁 1－10 中國修辭學會、高雄師大國文系編 台北 洪葉文化事業公司 2000 年 7 月初版

1141 陳滿銘 論語中一串互文見義的例子
孔孟月刊 42 卷 7 期 頁 7－13 2004 年 3 月

1142 仇小屏 論「互文」與「今昔疊映」的異同──王昌齡〈出塞〉首句再商榷
中國語文 96 卷 3 期（573 期） 頁 55－59 2005 年 3 月

排偶格

1143 許長謨 開一門入大觀──國語文排偶教學法
國語文教育通訊 6 期 頁 76－87 1994 年 4 月

1144 蔡謀芳 排偶二格試辨
中國語文 79 卷 3 期（總 471） 頁 57－60 1996 年 9 月

1145 楊鴻銘 丘遲「與陳伯之書」等文排偶論
孔孟月刊 35 卷 8 期（總 416） 頁 48－49 1997 年 4 月

1146 溫光華 論排偶修辭
中國語文 85 卷 5 期（總 509） 頁 55－60 1999 年 11 月

1147 溫光華 排偶修辭綜論
國文天地 15 卷 12 期（總 180） 頁 77－80 2000 年 5 月

1148 蔡謀芳 排偶辭格的組成元素及其活動方式
辭格比較概述 頁 107－116 台北 台灣學生書局 2001 年 8 月初版

拈連格

1149 旅 人 論李魁賢詩中的拈連技巧
笠 86 期 頁 28－34 1978 年 8 月

1150 蔡宗陽 中學修辭講座──拈連的解說與活用
國文天地 10 卷 4 期（總 112） 頁 62－65 1994 年 9 月

應用修辭學　第二章第十一節　頁 142－149　台北　萬卷樓圖書公司　2001 年 5 月初版

1151　黃麗貞　「拈連」修辭格的分類及其商榷
中國現代文學理論　7 期　頁 427－437　1997 年 9 月

1152　杜淑貞　認識「拈連法」之妙用
國文天地　16 卷 6 期（總 186）　頁 91－97　2000 年 11 月

避諱（諱飾）格

1153　蘇正一　語言的忌諱
中國語文　47 卷 6 期（總 282）　頁 44－45　1980 年 12 月

1154　林義烈　「死」的代替——創造思考的語文活動之一
中國語文　60 卷 5 期（總 359）　頁 36－38　1987 年 5 月

1155　董季棠　中學國文修辭講話——談諱飾
中國語文　72 卷 6 期（總 432）　頁 19－21　1993 年 6 月

1156　蒲　人　你乘「四路」汽車嗎？——談「避諱」
中國語文　73 卷 1 期（總 433）　頁 17－22　1993 年 7 月

1157　彭華生　避諱
語言藝術妙趣百題　第四部修辭舉要　頁 407－410　台北　智慧大學出版社　1994 年 9 月初版

1158　黃麗貞　「諱飾」修辭格
中國語文　92 卷 2 期（總 548）　頁 20－29　2003 年 2 月

移就格

1159　黃麗貞　移就修辭格
中國語文　75 卷 1 期（總 445）　頁 36－40　1994 年 7 月

1160　蔡謀芳　「移就」不外「轉化」
中國語文　87 卷 6 期（總 522）　頁 48－53　2000 年 12 月
辭格比較概述　頁 43－49　台北　台灣學生書局　2001 年 8 月初版

同異格

1161　魏聰祺　「同異」格之辨析

台中師院學報　19 卷 1 期　頁 115－143　2005 年 6 月

1162　魏聰祺　「同異」格之分類
修辭論叢　第六輯　頁 609－637　中國修辭學會、玄奘大學中文系編　台北　洪葉文化事業公司　2004 年 11 月初版

重覆、反覆格

1163　楊鴻銘　酈道元水經江水注反覆論
孔孟月刊　28 卷 4 期（總 328）　頁 48－49　1989 年 12 月

1164　張春榮　自歌自舞自開懷──重出
明道文藝　174 期　頁 46－48　1990 年 9 月
修辭散步　頁 167－196　台北　東大圖書公司　1991 年 9 月初版

1165　李翠瑛　以「重複」爲基礎的修辭技巧論新詩的節奏變化
國文天地　20 卷 2 期（總 230）　頁 64－73　2004 年 7 月

1166　黃奕珍　以「重覆」辭格詮析杜甫〈乾元中寓居同谷縣作歌七首〉的意義結構兼論其爲創體之原因
杜甫自秦入蜀詩歌評析　頁 129－201　台北　里仁書局　2005 年 3 月初版

聯綿格

1167　董季棠　中學國文修辭講話──談聯綿
中國語文　72 卷 2 期（總 428）　頁 38－42　1993 年 2 月

1168　黃坤堯　杜詩雙聲疊韻的修辭分析
修辭論叢　第六輯　頁 186－212　中國修辭學會、玄奘大學中文系編　台北　洪葉文化事業公司　2004 年 11 月初版

其他辭格

1169　孫雍長　《詩》「雀無角」「鼠無牙」解──修辭中的偷換格
中國語文　1989 年第 1 期（總 208）　頁 77－78　1989 年 1 月

1170　沈　謙　傳統修辭中的「隱秀」（上）
中國語文　66 卷 6 期（總 396）　頁 24－31　1990 年 6 月

1171　沈　謙　傳統修辭中的「隱秀」（下）

中國語文　67卷1期（總397）　頁29－36　1990年7月

1172　董季棠　中學國文修辭講話——談襲改
中國語文　70卷1期（總415）　頁27－30　1992年1月

1173　沈　謙　論隱秀
文心雕龍與現代修辭學　頁297－410　台北　文史哲出版社　1992年5月初版
修辭方法析論　頁141－260　台北　文史哲出版社　2002年10月初版

1174　鄭子瑜　與陳望道先生論照應
鄭子瑜修辭學論文集　頁99－106　台北　書林出版社　1993年2月

1175　鄭子瑜　論照應
中國修辭學的變遷　頁63－71　台北　書林出版社　1996年5月初版

1176　何永清　談節縮
中國語文　82卷1期（總487）　頁60－62　1998年1月
修辭漫談　頁19－22　台北　台灣商務印書館　2000年4月初版

1177　黃麗貞　試探「列錦」修辭格的建構基本和表述功能
中國語文　88卷6期（總528）　頁8－17　2001年6月
修辭論叢　第三輯　頁469－478　銘傳大學應用中文系所、中國修辭學會、中國語文學會編　台北　洪葉文化事業公司　2001年6月初版

1178　蔡謀芳　「警策」是一種綜合性辭格
辭格比較概述　頁163－177　台北　台灣學生書局　2001年8月初版

修辭格辨析及比較

1179　黃慶萱　辭格的區分與交集
華文世界　70期　頁17－26　1993年12月
人文及社會學科教學通訊　4卷4期　頁53－63　1993年12月
學林尋幽——見南山居論學集　頁287－306　台北　東大圖書公

司　1995 年 3 月初版
修辭論叢　第一輯　頁 1－14　中國修辭學會、台灣師大國文系編　台北　洪葉文化事業公司　1999 年 8 月初版
修辭學　第四篇餘論　頁 837－848　台北　三民書局　2002 年 10 月增訂三版

1180　黃麗貞　常用易混修辭格的辨析
國文天地　9 卷 10 期（總 106）　頁 8－15　1994 年 3 月
實用修辭學　附錄一　頁 549－562　台北　國家出版社　1999 年 3 月初版　2004 年 3 月增訂初版

1181　蔡宗陽　中學修辭講座──兼格的修辭
國文天地　10 卷 11 期（總 119）　頁 52－55　1995 年 4 月
應用修辭學　第一章第二節　頁 13－20　台北　萬卷樓圖書公司　2001 年 5 月初版

1182　張春榮　修辭新思維──辭格的辨析
明道文藝　306 期　頁 178－184　2001 年 9 月
明道文藝　307 期　頁 122－128　2001 年 10 月

1183　張春榮　辭格的交集：語言藝術之花──以高中國文課本爲例
修辭新思維　頁 61－75　台北　萬卷樓圖書公司　2001 年 9 月初版
明道文藝　309 期　頁 62－69　2001 年 12 月

1184　張春榮　辭格的會通
國文天地　18 卷 8 期（總 212）　頁 103　2003 年 1 月

1185　張春榮　辭格會通
國文天地　20 卷 12 期（總 240）　頁 48－54　2005 年 5 月

雙關與倒反

1186　蔡謀芳　指桑說槐──雙關與倒反
辭格比較概述　頁 51－56　台北　台灣學生書局　2001 年 8 月初版

1187　張春榮　野徑通幽──雙關、反諷、婉曲
修辭新思維　頁 93－105　台北　萬卷樓圖書公司　2001 年 9 月初版

互文與錯綜

1188　彭元歧　「變」之與「異」──「互文」及「錯綜」修辭界說之釐清
國文天地　9卷7期（總103）　頁106－113　1993年12月

1189　涂釋仁　關於「互文」與「錯綜」修辭格的辨析
中國語文　84卷2期（總500）　頁37－40　1999年2月

轉化與譬喻

1190　盧景商　修辭學上「譬喻」和「轉化」的區分問題
醒吾學報　18期　頁43－54　1994年6月

1191　蔡宗陽　中學修辭講座──譬喻與轉化的比較
國文天地　10卷8期（總116）　頁72－75　1995年1月
應用修辭學　第四章第一節　頁246－253　台北　萬卷樓圖書公司　2001年5月初版

1192　蘇菁媛　轉化和譬喻的探討
菁莪季刊　8卷1期（總27）　頁52－58　1996年3月

1193　彭元岐　「摩擦」我的趣味──譬喻與轉化修辭格試釐（上）
翰林文苑天地　2期　2000年12月6－7版

1194　彭元岐　「摩擦」我的趣味──譬喻與轉化修辭格試釐（下）
翰林文苑天地　3期　2001年1月6－7版

1195　蔡謀芳　譬喻、比擬與轉化
國文天地　16卷9期（總189）　頁81－87　2001年2月
辭格比較概述　頁1－11　台北　台灣學生書局　2001年8月初版

譬喻與象徵

1196　蔡宗陽　中學修辭講座──譬喻與象徵的比較
國文天地　10卷10期（總118）　頁64－67　1995年3月
應用修辭學　第四章第二節　頁253－260　台北　萬卷樓圖書公司　2001年5月初版

1197　李若鶯　論「借喻」與「象徵」、「借代」之異同
修辭論叢　第二輯　頁823－846　中國修辭學會、高雄師大國文系編　台北　洪葉文化事業公司　2000年7月初版

1198　蔡謀芳　從「譬喻」到「象徵」
辭格比較概述　頁13－18　台北　台灣學生書局　2001年8月初版

對偶與排比

1199　翁以倫　是春華秋實？還是峰峰相接——略談對偶與排比之分際
國文天地　9卷10期（總106）　頁26－28　1994年3月

1200　蔡宗陽　中學修辭講座——對偶與排比的比較
國文天地　10卷7期（總115）　頁72－75　1994年12月
應用修辭學　第四章第三節　頁260－268　台北　萬卷樓圖書公司　2001年5月初版

1201　陳正治　對偶與排比修辭法概論
北市師院語文學刊　5期　頁29－55　2001年6月

1202　張春榮　亮麗樂章——對偶、映襯、排比
修辭新思維　頁135－146　台北　萬卷樓圖書公司　2001年9月初版

其他辭格之比較

1203　蔡宗陽　談排比和借代
人文及社會科教學通訊　2卷2期　頁166－170　1991年8月

1204　程漢傑、姚裕強　怎樣區分修辭格中的比喻與通感
中學生讀寫技巧　頁94－96　台北　萬卷樓圖書公司　1995年5月初版

1205　程漢傑、姚裕強　怎樣區分修辭格中的排比與層遞
中學生讀寫技巧　頁97－98　台北　萬卷樓圖書公司　1995年5月初版

1206　蔡謀芳　「轉化」與「拈連」之內在聯繫
辭格比較概述　頁33－42　台北　台灣學生書局　2001年8月初版

1207　張春榮　修辭新思維——辭格的辨析：比喻、比擬、移覺
明道文藝　308期　頁39－45　2001年11月
修辭新思維　頁107－120　台北　萬卷樓圖書公司　2001年9月初版

㈣用字修辭研究

1208　羅錦堂　由宋詞說到鍊字
文學世界　35期　頁25－27　1962年9月

1209　黃永武　鍊字的方法
中央日報　1968年6月1－4日9版

1210　庚　生　練字與度句等
國魂　370期　頁50－58　1976年9月

1211　張春榮　試論修辭中的鍊字
中華文化復興月刊　15卷6期　頁61－66　1982年6月

1212　徐鳳城　杜甫律詩之鍊字表現
杜甫律詩研究　第四章　頁32—55　國立台灣師範大學國文研究所碩士論文　1985年　李殿魁指導

1213　林淨玲　談「鍊字」──國中國文教學的一點心得
國文天地　1卷6期（總6）　頁78－81　1985年11月

1214　黃永武主講、陳淑宜整理　一個字，無限魅力──文章字句的鍛鍊
國文天地　1卷12期（總12）　頁10－13　1986年5月

1215　何淑貞　白髮三千丈，緣愁似個長──談古漢語數詞的稱述和表達
古漢語語法與修辭研究　頁79－120　台北　華正書局　1987年6月初版

1216　李元洛　語不驚人死不休──煉字與煉意
詩文鑒賞方法二十講　頁90－95　台北　木鐸出版社　1987年7月初版

1217　王熙元　畫龍點睛──從鍊字技巧談詩眼與詞眼
中華日報　1988年1月14日
詩詞評析與教學　頁136－144　台北　萬卷樓圖書公司　1995年9月初版

1218　張春榮　大漠孤煙直──常字見巧
明道文藝　175期　頁11－14　1990年10月
修辭散步　頁245－251　台北　東大圖書公司　1991年9月初版

1219 杜松柏 用字（上、下）
詩與詩學 陸·作法 頁164－174 台北 洙泗出版社 1990年12月初版

1220 杜松柏 選字
詩與詩學 陸·作法 頁175－179 台北 洙泗出版社 1990年12月初版

1221 張春榮 載不動許多愁——鍊字
修辭散步 頁271－280 台北 東大圖書公司 1991年9月初版

1222 張春榮 驚濤裂岸，捲起千堆雪——鍊字
修辭散步 頁281－286 台北 東大圖書公司 1991年9月初版

1223 黃振民 論杜詩之用字、造句（上）
中國國學 19期 頁27－71 1991年11月

1224 黃振民 論杜詩之用字、造句（中）
中國國學 20期 頁71－92 1992年11月

1225 黃振民 論杜詩之用字、造句（下）
中國國學 22期 頁189－206 1994年11月

1226 許清雲 近體詩用字的鍛煉與要求
東吳大學中文系系刊 19期 1993年5月

1227 張春榮 在競綠賽青的千巖萬壑間——色彩
一把文學的梯子 頁175－183 台北 爾雅出版社 1993年7月初版

1228 張春榮 話愈來愈少，話題卻愈來愈多——談一字之差
中央日報 1994年4月28日15版
修辭行旅 頁289－301 台北 東大圖書公司 1996年1月初版

1229 劉崇義 賞析國中古典詩歌散文之淺見：字法
孔孟月刊 33卷1期（總385） 頁48－49 1994年9月

1230 平　心 修辭裡的數字
國語日報 1994年9月7日13版

1231 許清雲 字句
近體詩創作理論 第二章 頁9－57 台北 洪葉文化事業公司 1997年9月初版

1232　仇小屏　動與美——談新詩寫作中動詞的錘鍊
詩從何處來：新詩習作教學指引　頁 123－131　台北　萬卷樓圖書公司　2002 年 9 月初版

1233　王昌煥　畫龍點睛談「煉字」——古典篇
翰林文苑天地　21 期　2003 年 5 月 1－3 版

1234　林健群　從語言風格學探索李賀詩顏色字
親民學報　11 期　頁 35－57　2005 年 7 月

㈤詞語修辭研究

1235　方祖燊　色彩詞的構造與變化
中國語文　41 卷 3 期（總 243）　頁 4－8　1977 年 9 月
方祖燊全集（二）　第四卷　頁 71－76　台北　文史哲出版社　1996 年 12 月初版

1236　蕭奇元　選詞用字
台北　中友文化事業公司　1985 年 4 月初版

1237　黃麗貞　量詞修辭初探
中國語文　77 卷 3 期（總 459）　頁 42－50　1995 年 9 月

1238　王明仁　人物年齡的模糊表達
修辭論叢　第一輯　頁 531－549　中國修辭學會、台灣師大國文系編　台北　洪葉文化事業公司　1999 年 8 月初版

1239　金惠淑　字母詞的使用現狀論綱
修辭論叢　第六輯　頁 40－50　中國修辭學會、玄奘大學中文系編　台北　洪葉文化事業公司　2004 年 11 月初版

㈥句子修辭研究

1240　鎮　庵　鍊句的幾種基本條件
中國語文　7 卷 1 期（總 37）　頁 16－19　1960 年 7 月

1241　黃永武　鍛句的方法
慶祝高郵高仲華先生六秩誕辰論文集（下）　台北　國立台灣師

範大學國文研究所　1968年3月

1242　徐鳳城　杜甫律詩之鍛句表現
杜甫律詩研究　第五章　頁64—83　國立台灣師範大學國文研究所碩士論文　1985年　李殿魁指導

1243　張春榮　流水落花春去也——談標點
明道文藝　183期　頁11－14　1991年6月
修辭萬花筒　頁57－64　台北　駱駝出版社　1996年9月初版

1244　鄭子瑜　談集句
鄭子瑜修辭學論文集　頁146－159　台北　書林出版社　1993年2月

1245　黃春貴　《史記》的參差錯落之美——談司馬遷運用長短句的技巧
國語文教育通訊　12期　頁5－29　1996年6月

1246　杜淑貞　文章「從詞到句」句法手段（上）
中國語文　81卷4期（總484）　頁67－75　1997年10月

1247　杜淑貞　文章「從詞到句」句法手段（下）
中國語文　81卷5期（總485）　頁63－71　1997年11月

1248　仇小屏　試談字句與篇章修飾的分野
修辭論叢　第二輯　頁249－284　中國修辭學會、高雄師大國文系編　台北　洪葉文化事業公司　2000年7月初版

㈦語音、節奏修辭研究

1249　張春榮　念天地之悠悠——音節
明道文藝　171期　頁26－29　1990年6月
修辭散步　頁213－220　台北　東大圖書公司　1991年9月初版

1250　董季棠　中學國文修辭講話——談音節
中國語文　71卷2期（總422）　頁23－31　1992年8月

1251　張春榮　扣寂寞而求音——談聲音
修辭萬花筒　頁29－35　台北　駱駝出版社　1996年9月初版

1252　蔡淑月　修辭與節奏
修辭論叢　第二輯　頁161－191　中國修辭學會、高雄師大國文

系編　台北　洪葉文化事業公司　2000 年 7 月初版

1253　蔡謀芳　文字節奏之調整
辭格比較概述　頁 179－192　台北　台灣學生書局　2001 年 8 月初版

1254　歐秀慧　語言現象中的語音修辭
研究與動態　9 期　頁 91－111　2003 年 12 月
國立嘉義大學通識教育集刊　1 期　頁 179－200　2003 年 12 月

1255　賴溫如　音節修辭法在詩文中的運用
人文及社會學科教學通訊　15 卷 4 期(總 88)　頁 145－159　2004 年 12 月

六、

作品修辭綜合分析

㈠古代論著與修辭

1. 經部專書之修辭

【周易】

1256　黃慶萱　易經的文學價值
中國文學講話（一）　頁 29－59　台北　巨流圖書公司　1982 年 12 月一版

1257　游志誠　周易與文學
古典文學　第七集　頁 23－64　台北　台灣學生書局　1985 年 8 月初版

1258　戴妙全　周易語言美學的探討
周易美學觀探微　第五章　頁 141－190　國立台灣師範大學國文研究所碩士論文　1999 年　黃慶萱指導

1259　王希杰　從《周易》談修辭學
修辭論叢　第一輯　頁 667－681　中國修辭學會、台灣師大國文系編　台北　洪葉文化事業公司　1999 年 8 月初版

1260　蔡淑月　《易經》古歌謠的修辭現象
修辭論叢　第五輯　頁 456－482　中國修辭學會、台灣師大國文系編　台北　洪葉文化事業公司　2003 年 11 月初版

【尚書】

1261　許錟輝　尚書與文學
古典文學　第四集　頁 1－47　台北　台灣學生書局　1982 年 12

月初版

1262　許錟輝　尙書的文學價值
中國文學講話（一）　頁 61－89　台北　巨流圖書公司　1982 年 12 月一版

1263　蔡宗陽　《尙書》之修辭藝術
紀念魯實先先生逝世廿週年學術研討會論文集　頁 123－131　國立台灣師範大學國文系主編　台北　國文天地　1997 年 12 月
修辭學探微　頁 71－85　台北　文史哲出版社　2001 年 4 月初版

【詩經】

1264　夏傳才　詩經語言藝術
台北　雲龍出版社　1990 年 10 月台一版

1265　葉　龍　國風與雅歌的修辭研究
文學世界　第 42 期　頁 50－60　1964 年 6 月
民主評論　16 卷 15－16 期　1965 年 9－10 月

1266　于維杰　詩經修辭示例
現代學苑　4 卷 5 期　頁 15－20　1967 年 5 月

1267　黃振民　詩三百篇修辭之研究
國文學報（台灣師大）　7 期　頁 65－108　1978 年 6 月
詩經研究　頁 397－465　台北　正中書局　1982 年 2 月

1268　羅敬之　談詩經國風的修辭
華學月刊　第 96 期　頁 53－57　1979 年 12 月
詩經研究論集（一）　頁 141－150　台北　台灣學生書局　1983 年 11 月初版、1987 年 7 月二次印刷

1269　彭麗秋　國風之修辭
國風寫作技巧研究　第三章第一節　輔仁大學中國文學研究所碩士論文　1980 年　王靜芝指導

1270　鄭郁卿　詩經修辭研究
台北工專學報　17 期　頁 569－637　1984 年 4 月

1271　鄭郁卿　詩經修辭研究補篇——傳注訓詁以外之詩
台北工專學報　18 期　頁 341－369　1985 年 3 月

1272　林奉仙　十五國風章節之藝術表現
國立台灣師範大學國文研究所碩士論文　1989 年　汪中指導
1273　吳朝輝　詩國風修辭藝術探微
第一屆經學學術討論會論文集　頁 229－262　台北　國立台灣師範大學國文系所主編　1994 年 4 月
1274　吳朝輝　詩國風修辭藝術探微——以國風最短五篇詩的修辭現象為例
東師語文學刊　7 期　頁 285－313　1994 年 6 月
1275　王忠林　由詩經國風毛傳、鄭箋論訓詁與修辭的關係
訓詁論叢　第 3 輯　頁 513－534　台北　文史哲出版社　1997 年 5 月
1276　林奉仙　詩經興詩研究
國立台灣師範大學國文研究所碩士論文　1998 年　汪中指導
1277　余培林　《詩經》中的照應語句
修辭論叢　第六輯　頁 481－494　中國修辭學會、玄奘大學中文系編　台北　洪葉文化事業公司　2004 年 11 月初版

【禮記】

1278　翁惠美　禮記檀弓修辭研究
德明學報　6 期　頁 197－214　1987 年 11 月
1279　蔡勝德　禮記的修辭和句式
禮記的文學價值　第三章　頁 120－188　東吳大學中國文學研究所博士論文　1989 年　羅宗濤指導
1280　楊鴻銘　「禮記・檀弓」「戰于郎」等文修辭釋義論
孔孟月刊　35 卷 12 期（總 420）　頁 48－49　1997 年 8 月

【春秋三傳】

1281　張高評　左傳文章義法撢微
左傳之文學研究（下）　國立台灣師範大學國文研究所博士論文　1981 年　林尹、黃永武指導
台北　文史哲出版社　1982 年 10 月初版
1282　王熙元　春秋三傳的文學價值

中國文學講話（一）　頁 113－145　台北　巨流圖書公司　1982 年 12 月一版
古典文學散論　頁 15－48　台北　台灣學生書局　1987 年 3 月初版

1283　魏靖峰　從「韓之戰」看左傳修辭與寫作技巧
中國語文　55 卷 6 期（總 330）　頁 30－34　1984 年 12 月

1284　崔炳圭　左傳人物描寫藝術
國立台灣師範大學國文研究所碩士論文　1990 年　沈秋雄指導

1285　郭　丹　《左傳》行人辭令之修辭藝術研究
修辭論叢　第一輯　頁 461－480　中國修辭學會、台灣師大國文系編　台北　洪葉文化事業公司　1999 年 8 月初版

1286　黃肇基　《左傳義法》所見之《左傳》義法
修辭論叢　第二輯　頁 719－758　中國修辭學會、高雄師大國文系編　台北　洪葉文化事業公司　2000 年 7 月初版

【論孟】

1287　黃錦鋐　談論語孔子與弟子言志章之寫作技巧
孔孟月刊　5 卷 12 期　頁 8－9＋7　1967 年 8 月

0496　陳宗敏　孟子的比喻
孔孟月刊　8 卷 2 期　頁 17－18　1969 年 10 月

1289　傅錫壬　孟子書的譬喻和諷喻技巧
孔孟月刊　13 卷 11 期　頁 6－9　1975 年 7 月

1290　夏燕生　淺談論語孟子的修辭
青年日報　10 版　1983 年 3 月 12 日

1291　王基倫　續談論語孟子的修辭
青年戰士報　1983 年 12 月 6 日 10 版

1292　鄭義淑　孟子文章修辭析論
國立台灣師範大學國文研究所碩士論文　1986 年　張學波指導

1293　張昌虎　孟子行文及用辭風格
孟子文章風格研究　第五章　頁 112－142　東海大學中國文學研究所碩士論文　1986 年　董金裕指導

1294　黃守誠　論語的藝術表現

花蓮師院學報　1期　頁195－218　1987年10月

1295　王基倫　論語孟子的修辭藝術初探
教師之友　第33卷第1期　頁24－27　1992年2月
慶祝王更生教授七秩嵩壽紀念文集　頁 211－218　台北　文史哲出版社　1997年7月

1296　何永清　孟子中的修辭技巧
中國語文　71卷3期（總423）　頁42－45　1992年9月

1297　蔡宗陽　論語的修辭技巧
中國學術年刊　14期　頁181－210　1993年3月
修辭學探微　頁101－134　台北　文史哲出版社　2001年4月初版

1298　許秀霞　「孟子」「梁惠王章・齊桓・晉文之事」賞析
東師語文學刊　11期　頁235－258　1998年6月

1299　黃肇基　《孟子》之修辭藝術
修辭論叢　第三輯　頁873－917　銘傳大學應用中文系所、中國修辭學會、中國語文學會編　台北　洪葉文化事業公司　2001年6月初版

1300　王雲芝　論語修辭藝術探究
玄奘大學中國語文研究所碩士論文　2004年　沈謙指導

1301　朱榮智　孟子的修辭技巧
孔孟月刊　43卷5－6期（總509－510）　頁16－17　2005年2月

2. 史部專書之修辭

1302　黃慶萱　管晏列傳析評兼探司馬遷的意識和修辭——古文新探
中央日報　1977年8月2－4日10版

1303　朴宰雨　史記的寫作技巧研究
國立台灣大學中國文學研究所碩士論文　1982年　葉慶炳指導

1304　金聖日　史記修辭技巧研究
國立高雄師範大學國文研究所碩士論文　1986年　周虎林指導

1305　范文芳　從史記看司馬遷在語文運用上的技巧
國教世紀　25卷4期　頁2－10　1990年2月

1306　鄭子瑜　論《史記》修辭之偶疏

鄭子瑜修辭學論文集　頁82－88　台北　書林出版社　1993年2月

1307　許淑華　《史記》列傳「太史公曰」修辭藝術探析——以「設問」、「引用」爲線索

修辭論叢　第四輯　頁763－794　中國修辭學會、輔仁大學中文系編　台北　洪葉文化事業公司　2002年6月初版

1308　李秋蘭　隱喻與敘事——《史記》敘事藝術探究之一

東方人文學誌　3卷2期　頁13－40　2004年6月

1309　許淑華　《史記》合傳修辭藝術探析

修辭論叢　第六輯　頁638－657　中國修辭學會、玄奘大學中文系編　台北　洪葉文化事業公司　2004年11月初版

3. 子部專書之修辭

綜論

1310　鄭子瑜　論先秦諸子的修辭技巧

鄭子瑜修辭學論文集　頁67－81　台北　書林出版社　1993年2月

【老子】

1311　蔡宗陽　道德經修辭之研究

教學與研究(國立台灣師範大學文學院)　4期　頁19－38　1982年6月

1312　朱榮智　老子的修辭技巧

師大學報　第34期　頁171－194　1989年6月

1313　林婉菁　從修辭格探討《老子》書中文句「整齊」之美

彰化師範大學國文學系在職進修專班碩士論文　2003年　周益忠指導

1314　楊愛雅　從對比修辭看《老子》的語言意涵

國立彰化師範大學國文學系在職進修專班碩士論文　2003年　周益忠指導

【莊子及其相關研究】

1315　蔡宗陽　莊子之文學特色——莊子修辭之探究

莊子之文學　第三章第三節　頁 163—224　國立台灣師範大學國文研究所碩士論文　1983 年　黃錦鋐指導
莊子之文學　第三章第三節　頁 163－224　台北　文史哲出版社　1983 年 9 月初版

1316　朱榮智　莊子的修辭技巧
莊子的美學與文學　頁 259－279　台北　國立編譯館　1998 年 4 月再版

1317　錢亦華　《南華經解》之修辭特色
修辭論叢　第二輯　頁 781－801　中國修辭學會、高雄師大國文系編　台北　洪葉文化事業公司　2000 年 7 月初版

1318　林文淑　莊子內篇修辭探賾
國立台灣師範大學國文研究所碩士論文　2001 年　蔡宗陽指導

【荀子】

1319　黃正宏　荀子修辭要例
荀子文學探驪　第七章　頁 127—143　國立台灣師範大學國文研究所碩士論文　1986 年　許錟輝指導

1320　蔡宗陽　荀子的修辭藝術
紀念章微穎先生逝世三十週年學術研討會論文集　頁 113－121　台北　國立台灣師範大學國文學系編印　1998 年 4 月
修辭學探微　頁 135－148　台北　文史哲出版社　2001 年 4 月初版

1321　吳清員　荀子勸學篇的章法修辭特色
屏中學報　11 期　頁 133－138　2003 年 11 月
翰林文苑天地　23 期　2003 年 11 月 5—7 版

【韓非子】

1322　王懷成　韓非子之散文藝術
高雄　復文圖書出版社　1998 年 4 月初版

1323　陳麗珠　韓非子的寫作技巧
韓非子儲說研究　第五章　頁 195—228　國立台灣師範大學國文研究所碩士論文　1994 年　張素貞指導

1324　黃端陽　就劉勰所謂「著博喻之富」以論《韓非子・儲說》
東吳中文研究所集刊　5 期　頁 125－138　1998 年 5 月
文心雕龍樞紐論研究　附錄　頁 159－182　台北　國家出版社
2000 年 6 月初版

1325　溫光華　《韓非子・說難》文章藝術析論
中國文化月刊　236 期　頁 100－114　1999 年 11 月

1326　周娟娟　韓非子連珠體修辭探微
國立政治大學國文教學碩士班碩士論文　2003 年　蔡宗陽指導

【墨子】

1327　程美鐘　墨子修辭研究
國立台灣大學中國文學研究所碩士論文　1995 年　周富美指導

1328　吳惠玲　《墨子・法儀》的文章藝術
國文天地　16 卷 8 期（總 188）　頁 28－31　2001 年 1 月

【孫子兵法】

1329　杜志成　《孫子》兵法「排比」與「層遞」修辭探究
雛鳳清鳴——玄奘大學中國語文學研究所第三屆研究生學術研討會論文集　頁 49－60　新竹　玄奘大學中國語文學研究所編
2004 年 4 月

1330　杜志成　《孫子》兵法藝術與修辭研究
玄奘大學中國語文研究所碩士論文　2004 年　沈謙指導

1331　杜志成　奇正虛實揚先勝：「兵經」《孫子》用兵與修辭藝術探究
台北　文史哲出版社　2005 年 4 月初版

*2166 沈　謙　文武兼資，體用合一的孫子兵法——評杜志成《孫子用兵與修辭藝術探究》
中國語文　97 卷 2 期（總 578）　頁 65－68　2005 年 8 月

【其他】

1332　林平和　鹽鐵論修辭之探究
國立中央大學文學院院刊　4 期　頁 15－78　1986 年 6 月

1333　吳福相　呂氏春秋寓言之藝術
呂氏春秋寓言研究　第七章　頁 175－194　中國文化大學中國文學研究所博士論文　王更生指導
呂氏春秋寓言文學析論　第七章　頁 175－194　台北　文史哲出版社　1999 年 10 月初版

1334　李永勃　《晏子春秋》修辭四題
國文天地　19 卷 8 期（總 224）　頁 79－82　2004 年 1 月

4. 集部專書之修辭

【楚辭】

1335　劉秋潮　離騷的修辭藝術
大陸雜誌　9 卷 11 期　頁 11－17　1954 年 12 月

1336　黃志高　楚辭九歌湘君、湘夫人之結構及修辭探析（上）
東師語文學刊　8 期　頁 135－153　1995 年 6 月

1337　蔡宗陽　《楚辭》的修辭藝術
劉正浩教授七十壽慶榮退紀念文集　頁 261－275　台北　文史哲出版社　1999 年 8 月初版

1338　蔡宗陽　楚辭的修辭手法
修辭學探微　頁 149－162　台北　文史哲出版社　2001 年 4 月初版

【世說新語】

1339　尤雅姿　世說新語修辭藝巧探微
興大中文學報　3 期　頁 225－238　1990 年 1 月

1340　梅家玲　《世說新語》的語言藝術
國立台灣大學中國文學研究所博士論文　1991 年　吳宏一指導

1341　何永清　世說新語之修辭例（上）
中國語文　72 卷 3 期（總 429）　頁 65－70　1993 年 3 月

1342　何永清　世說新語之修辭例（下）
中國語文　72 卷 4 期（總 430）　頁 64－69　1993 年 4 月

1343　何永清　《世說新語》的修辭
修辭漫談　頁 97－111　台北　台灣商務印書館　2000 年 4 月初版

【文心雕龍】

1344　方元珍　論文心雕龍之文章藝術
國立編譯館館刊　20卷1期　頁63－78　1991年6月
文心雕龍國際學術研討會論文集　頁117－143　日本九州大學中國文學會主編　台北　文史哲出版社　1992年6月

1345　蔡宗陽　文心雕龍的修辭技巧
文心雕龍國際學術研討會論文集　頁145－177　日本九州大學中國文學會主編　台北　文史哲出版社　1992年6月
文心雕龍探賾　頁117－149　台北　文史哲出版社　2001年2月初版

1346　胡仲權　論文心雕龍之裁章修辭藝術
文心雕龍國際學術研討會論文集　頁563－575　國立台灣師範大學國文系主編　台北　文史哲出版社　2000年3月初版

1347　胡仲權　論《文心雕龍》之辭格運裁美
修辭論叢　第四輯　頁635－645　中國修辭學會、輔仁大學中文系編　台北　洪葉文化事業公司　2002年6月初版

1348　李昌懋　文心雕龍辭格美學研究
南華大學文學研究所碩士論文　2002年　胡仲權指導

1349　溫光華　文心雕龍之修辭藝術
劉勰文心雕龍文章藝術析論　第六章　頁165－231　國立台灣師範大學國文研究所博士論文　2003年　王更生指導

1350　溫光華　《文心雕龍》贊語的修辭策略與藝術
修辭論叢　第六輯　頁720－737　中國修辭學會、玄奘大學中文系編　台北　洪葉文化事業公司　2004年11月初版

【其他】

1351　方麗娜　水經注之寫景藝術──修辭技巧
水經注研究　第五章第三節　頁283－305　國立台灣師範大學國文研究所博士論文　1990年　王熙元指導

1352　林晉士　《洛陽伽藍記》之修辭特色
《洛陽伽藍記》之文學研究　第九章　頁301－341　國立高雄師

範大學國文研究所碩士論文　1995年　王忠林指導

1353　何永清　《四溟詩話》的修辭技巧

中國語文　79卷6期（總474）　頁64－68　1996年12月

1354　何永清　《四溟詩話》的修辭

修辭漫談　頁112－117　台北　台灣商務印書館　2000年4月初版

㈡古典詩詞曲與修辭（詩）

1. 綜論

1355　周振甫　詩詞例話　台北　長安出版社　1983年10月初版

1. 比喻　頁174－176
2. 博喻　頁177－182
3. 曲喻　頁183－185
4. 誇張　頁186－190
5. 比擬　頁191－192
6. 直言和比體　頁193－195
7. 取影　頁196－198
8. 反襯和陪襯　頁199－201
9. 襯墊和襯跌　頁202－203
10. 頓挫　頁204－207
11. 反說　頁208
12. 反用故事　頁209－211
13. 層遞　頁212－214
14. 重疊錯綜　頁215－217
15. 點染　頁218－219
16. 側重　頁220－224
17. 對偶　頁225－231
18. 互文和互體　頁232－234
19. 精警　頁235－247
20. 迴蕩　頁248－253

1356　周振甫　詩詞例話・卷三・修辭　台北　五南圖書出版公司　1994年5月

初版

1. 起興　頁 3－15
2. 比喻　頁 17－25
3. 博喻　頁 27－33
4. 喻之二柄　頁 35－37
5. 喻之多邊　頁 39－41
6. 曲喻　頁 43－46
7. 通感　頁 47－52
8. 誇張　頁 53－58
9. 比體和直言　頁 59－63
10. 襯托　頁 65－73
11. 映襯和陪襯　頁 75－83
12. 襯墊和襯跌　頁 85－87
13. 反說　頁 89－90
14. 用事　頁 91－105
15. 層遞　頁 107－109
16. 複疊錯綜　頁 111－114
17. 點染　頁 115－117
18. 側重和倒裝　頁 119－127
19. 對偶　頁 129－138
20. 互文和互體　頁 139－141
21. 修改　頁 143－149
22. 精警　頁 151－165
23. 迴盪　頁 167－174

1357　古遠清、孫光萱　詩歌修辭學　台北　五南圖書出版公司　1997 年 6 月初版（原由湖北教育出版社 1995 年出版）

1. 詩歌詞句修辭　頁 19－111
2. 詩歌篇章修辭　頁 113－243
3. 詩歌辭格舉隅　頁 245－367

1358　陳　瑛　中國舊詩的修辭研究

海風　4 卷 3 期　頁 8－9　1959 年 3 月

1359　李純一　詩的意境格律及修辭
自由報　457－468 期　頁 12　1964 年 7－8 月

1360　雪　梅　論齊梁時代的文體與修辭
青年戰士報　1970 年 3 月 26－30 日 7 版

1361　國　晉　談詩詞裡的修辭
大華晚報　1974 年 6 月 24 日 5 版

1362　陳永寶　近體詩之創作技巧（上）
中台醫專學報　4 期　頁 239－255　1987 年 4 月

1363　陳永寶　近體詩之創作技巧（下）
中台醫專學報　5 期　頁 105－121　1989 年 3 月

1364　余　我　談詩詞的修辭
文學與寫作技巧　頁 137－140　台北　國家出版社　1993 年 1 月初版

1365　余　我　談詩詞裡的修辭
中國語文　73 卷 5 期（總 437）　頁 66－69　1993 年 11 月

1366　黃麗貞　中國詩歌裡常用的修辭手法
華文世界　70 期　頁 27－34　1993 年 12 月
實用修辭學　附錄二　頁 549－562　台北　國家出版社　1999 年 3 月初版　2004 年 3 月增訂初版

1367　徐思易　詩詞的語言藝術
修辭論叢　第二輯　頁 531－544　中國修辭學會、高雄師大國文系編　台北　洪葉文化事業公司　2000 年 7 月初版

1368　程祥徽　格律的形成與變革
修辭論叢　第二輯　頁 515－529　中國修辭學會、高雄師大國文系編　台北　洪葉文化事業公司　2000 年 7 月初版

1369　仇小屏　古典詩詞的視聽之美——以空間結構為考察對象
修辭論叢　第三輯　頁 533－578　銘傳大學應用中文系所、中國修辭學會、中國語文學會編　台北　洪葉文化事業公司　2001 年 6 月初版

1370　曹德和　從詩味的產生談詩歌分行
修辭論叢　第三輯　頁 207－219　銘傳大學應用中文系所、中國

修辭學會、中國語文學會編　台北　洪葉文化事業公司　2001 年 6 月初版

1371　司馬青山　談傳統詩中的修辭格
大海洋詩雜誌 69 期　頁 126－127　2004 年 6 月

2. 作家及作品論

【古詩十九首】

1372　廖蔚卿　論古詩十九首的藝術技巧
文學雜誌　3 卷 1 期　頁 4－21　1957 年 9 月
中國文學評論　第一冊　頁 65－92　台北　聯經出版事業　1997 年 12 月初版
漢魏六朝文學論集　頁 339－371　台北　大安出版社　1997 年 12 月初版

1373　王莉莉　《古詩十九首》修辭藝術探究
玄奘人文社會學院中國語文研究所碩士論文　2004 年　沈謙指導

【六朝詩人及其詩】

1374　王次澄　南朝詩之修辭特色
南朝詩研究　第五章　頁 285－387　東吳大學中國文學研究所博士論文　1982 年　鄭騫指導
古典文學　第四集　頁 49－91　台北　台灣學生書局　1982 年 12 月初版

1375　盧淸青　齊梁詩的藝術成就
齊梁詩研究　第三－四章　頁 95－224　台北　文史哲出版社　1984 年 10 月初版

1376　李海元　謝、鮑山水詩之修辭技巧比較
謝靈運與鮑照山水詩研究　第四章　頁 125－144　國立政治大學中國文學研究所碩士論文　1987 年　呂凱指導

1377　陳美足　顏謝詩的藝術特色
南朝顏謝詩研究　第四章　頁 161－214　台北　文津出版社　1989 年 12 月初版

1378　王繪絜　傅玄詩歌的研究——修辭特色
傅玄及其詩文研究　第五章第三節　頁 186－192　中國文化大學中文研究所碩士論文　1995 年 6 月　洪順隆指導
傅玄及其詩文研究　第五章第三節　頁 161－174　台北　文津出版社　1997 年 6 月初版

1379　陳淑美　潘岳的詩歌研究——詩歌的形式技巧
潘岳及其詩文研究　第四章第三節　頁 118－132　中國文化大學中文研究所碩士論文　1996 年 6 月　洪順隆指導
潘岳及其詩文研究　第四章第三節　頁 117－134　台北　文津出版社　1999 年 8 月初版

1380　蕭合姿　江淹詩歌研究——詩歌的形式技巧
江淹及其作品研究　第三章第二節　頁 97－110　中國文化大學中文研究所碩士論文　1997 年 6 月　洪順隆指導
江淹及其作品研究　第三章第二節　頁 114－128　台北　文津出版社　2000 年 3 月初版

1381　張娣明　王粲〈從軍詩〉的修辭藝術探析
修辭論叢　第三輯　頁 255－294　銘傳大學應用中文系所、中國修辭學會、中國語文學會編　台北　洪葉文化事業公司　2001 年 6 月初版
仰看明月詩當枕——論中國古典詩　第三章　頁 79－119　台北　萬卷樓圖書公司　2005 年 10 月初版

1382　楊芮芳　元嘉登臨詩之時空研究——以各種技巧、結構整合時空
元嘉登臨詩之時空研究　第四章第一節　頁 149－168　中國文化大學中國文學研究所碩士論文　2002 年　朱雅琪指導

1383　張娣明　三國時代戰爭詩研究——主戰類作品之修辭技巧
三國時代戰爭詩研究　第六章　頁 137－165　國立台灣師範大學國文研究所碩士論文　2002 年　沈秋雄指導
國立台灣師範大學國文研究所集刊　四十七號　第六章　頁 924－956　2003 年 6 月
戎馬不解鞍，鎧甲不離傍——三國時代戰爭詩研究　第六章　頁 191－229　台北　萬卷樓圖書公司　2004 年 6 月初版

1384　張娣明　三國時代戰爭詩研究——非戰類作品之修辭技巧
三國時代戰爭詩研究　第八章　頁 199－216　國立台灣師範大學國文研究所碩士論文　2002 年　沈秋雄指導
國立台灣師範大學國文研究所集刊　四十七號　第八章　頁 987－1006　2003 年 6 月
戎馬不解鞍，鎧甲不離傍——三國時代戰爭詩研究　第八章　頁 281－306　台北　萬卷樓圖書公司　2004 年 6 月初版

1385　張娣明　三國時代戰爭詩研究——對戰爭態度不明顯的作品之修辭技巧
三國時代戰爭詩研究　第十章　頁 233－252　國立台灣師範大學國文研究所碩士論文　2002 年　沈秋雄指導
國立台灣師範大學國文研究所集刊　四十七號　第十章　頁 1024－1043　2003 年 6 月
戎馬不解鞍，鎧甲不離傍——三國時代戰爭詩研究　第十章　頁 335－360　台北　萬卷樓圖書公司　2004 年 6 月初版

1386　蔡盈任　謝靈運山水詩的駢儷藝術特徵
東方人文學誌　3 卷 4 期　頁 13－28　2002 年 12 月

1387　陳美足　謝靈運山水詩的藝術特色
謝靈運山水詩之研究　第六章　頁 116－136　玄奘人文社會學院中國語文研究所碩士論文　2003 年 6 月　邱燮友指導

1388　葛建國　謝靈運詩修辭探究
玄奘人文社會學院中國語文研究所碩士論文　2004 年　沈謙指導

【李白及其詩】

1389　張榮基　李白樂府詩的形式及寫作技巧——語句及表現手法
李白樂府詩之研究　第六章第三節　頁 224－238　東吳大學中國文學研究所碩士論文　1987 年　邱燮友指導

1390　陳麗娜　李白詠物詩之研析——寫物表現研析
李白詠物詩研究　第五章第三節　頁 136－156　東吳大學中國文學研究所碩士論文　1987 年　沈謙指導

1391　卓曼菁　李白遊俠詩之藝術表現
李白遊俠詩研究　第五章　頁 182－214　國立台灣師範大學國

文研究所碩士論文　1995 年　邱燮友指導
1392　翁成龍　李白樂府詩的技巧
台中商專學報　29 期　頁 137－160　1997 年 6 月
1393　孫鐵吾　李白詩歌中植物意象研究——植物意象使用的手法
李白詩歌中植物意象研究　第六章　頁 136—159　國立台灣師範大學國文研究所碩士論文　1998 年　邱燮友指導
1394　翁成龍　李白樂府詩的修辭技巧
台中商專學報　30 期　頁 43－55　1998 年 6 月
1395　陽鴻榮　談李白「長干行」的修辭技法
明道文藝　297 期　頁 122－125　2000 年 12 月
1396　李鵑娟　李白古風聲情關係研究
修辭論叢　第四輯　頁 795－828　中國修辭學會、輔仁大學中文系編　台北　洪葉文化事業公司　2002 年 6 月初版
1397　賴昭君　李白樂府詩之形式與技巧
李白樂府詩研究　第四章　頁 73－141　靜宜大學中國文學系碩士論文　2002 年　李建崑指導
1398　盧姿吟　李白樂府修辭研究
國立台灣師範大學國文系在職進修碩士學位班碩士論文　2004 年　蔡宗陽指導
1399　林梧衛　李白酒詩的修辭技巧
李白詩歌酒意象之研究　第六章　頁 136－154　玄奘人文社會學院中國語文研究所碩士論文　2004 年　李孟晉指導
1400　費泰然　李白《古風五十九首》修辭藝術研究
玄奘大學中國語文研究所碩士論文　2004 年　沈謙指導
1401　林永煌　李白酒詩修辭技巧研究
銘傳大學應用中國文學研究所在職專班碩士論文　2005 年　江惜美指導
1402　蔡幸吟　李白長干行修辭技巧初探
黎明學報　18 卷 1 期　頁 143－150　2005 年 12 月

【杜甫及其詩】

1403 陳淑彬 重讀杜甫——修辭藝術與美學銘刻
台北 文津出版社 2001 年 5 月初版

1404 邱燮友 從杜詩看杜甫的寫作技巧
明道文藝 15 期 頁 13－17 1977 年 6 月

1405 馮永敏 杜律對句疊字所見之聲情
國立台灣師範大學國文研究所碩士論文 1983 年 陳新雄指導

1406 林春蘭 杜詩修辭藝術之探究
國立高雄師範大學國文研究所碩士論文 1984 年 沈謙指導

1407 林春蘭 透過修辭手法評杜詩〈觀公孫大娘弟子舞劍器行〉
中國語文 58 卷 6 期（總 348） 頁 63－67 1986 年 6 月

1408 林春蘭 〈兵車行〉的寫作藝術
中國語文 61 卷 1 期（總 361） 頁 75－77 1987 年 7 月

1409 林雅韻 杜甫山水紀游詩的藝術特色
杜甫山水紀游詩研究 第五章 頁 145－198 輔仁大學中國文學研究所碩士論文 2002 年 包根弟指導

1410 洪素香 杜甫荊湘詩初探——詩歌的修辭藝術
杜甫荊湘詩初探 第七章 頁 115－130 國立中山大學中國文學研究所碩士論文 2003 年 張仁青指導

1411 趙麗莎 杜詩修辭藝術風格探究
東方人文學誌 4 卷 4 期 頁 83－110 2005 年 12 月

1412 王淑英 〈三吏〉〈三別〉詩的修辭分析
杜甫〈三吏〉〈三別〉詩研究 第七章第二節 頁 139－166 文化大學中國文學研究所在職專班碩士論文 2005 年 席涵靜指導

【蘇軾及其詩】

1413 鄭倖朱 東坡「以賦為詩」主要藝術技巧分析
蘇軾「以賦為詩」研究 第五章 頁 125－182 國立成功大學中國文學研究所碩士論文 1994 年 張高評、廖國棟指導
蘇軾「以賦為詩」研究 第五章 頁 153－220 台北 文津出版

社　1998 年 11 月初版

1414　江惜美　論蘇軾詩中的字句鍛鍊
林炯陽先生六秩壽慶論文集　頁 663－686　台北　洪葉文化事業公司　1999 年 2 月初版

1415　楊珮琪　蘇軾杭州詩的寫作技巧
蘇軾杭州詩研究　第四章　頁 205—252　國立台灣師範大學國文研究所碩士論文　1999 年　沈秋雄指導

1416　李慕如　析論宋詩諧趣形成與東坡諧體詩
修辭論叢　第五輯　頁 568－609　中國修辭學會、台灣師大國文系編　台北　洪葉文化事業公司　2003 年 11 月初版

1417　潘柏年　蘇軾〈題西林壁〉賞析
修辭論叢　第五輯　頁 1017－1029　中國修辭學會、台灣師大國文系編　台北　洪葉文化事業公司　2003 年 11 月初版

【歷代樂府詩、民歌】

1418　金銀雅　南北朝民間樂府之內在研究──意象表現
南北朝民間樂府之研究　第三章第二節　頁 117－174　國立政治大學中國文學研究所碩士論文　1984 年　李豐楙指導

1419　田寶玉　兩漢民間樂府表現技巧與藝術結構之歸類
兩漢民間樂府研究　第四章　頁 110—137　國立台灣師範大學國文研究所碩士論文　1985 年　楊昌年指導

1420　王靖婷　吳歌西曲的內容、詞彙及表現手法之研究
東海大學中國文學研究所碩士論文　1989 年　方師鐸指導

1421　金銀雅　盛唐樂府詩之形式
盛唐樂府詩研究　第六章　頁 169－207　國立政治大學中國文學研究所博士論文　1990 年　羅宗濤、李豐楙指導

1422　陳慶和　鮑照樂府詩之修辭技巧
鮑照樂府詩研究　第四章　頁 70－99　東海大學中國文學研究所碩士論文　1990 年　沈謙指導

1423　金賢珠　唐五代敦煌民歌表現形式之特色
唐五代敦煌民歌　第六章　頁 125－174　台北　文史哲出版社

1994 年 10 月初版

1424 鄭義雨 明清民歌的內容及技巧——明清民歌的技巧
明清民歌研究 第五章第二節 頁 181—208 國立台灣師範大學國文研究所博士論文 2000 年 邱燮友指導

1425 侯潔之 木蘭詩的語言藝術
中國語文 90 卷 2 期（總 536） 頁 51－62 2002 年 2 月

1426 吉田文子 兩漢樂府詩之語言表象形式初探
南台應用日語學報 3 期 頁 190－204 2003 年 6 月

1427 黃陶陶 南北朝樂府民歌的修辭藝術（上）
新竹師院語文學報 10 期 頁 63－101 2003 年 12 月

1428 黃陶陶 南北朝樂府民歌的修辭藝術（下）
新竹師院語文學報 11 期 頁 89－109 2004 年 12 月

1429 侯潔之 陌上桑的語言藝術
中國語文 94 卷 5 期（總 563） 頁 71－82 2004 年 5 月

【其他詩家作品】

1430 李元貞 山谷詩的技巧
黃山谷的詩與詩論 第三章 頁 26－67 國立台灣大學中國文學研究所碩士論文 1971 年 鄭騫指導
黃山谷的詩與詩論 第三章 頁 43－126 國立台灣大學文學院 1972 年 12 月

1431 吳美玉 元遺山詩的形式
元遺山詩研究 第三、四章 頁 79－162 國立台灣大學中國文學研究所碩士論文 1973 年 鄭騫指導

1432 李燕新 荊公詩形式之探究
王荊公詩探究 第三章 頁 225－349 國立高雄師範大學國文研究所碩士論文 1976 年 6 月 于大成指導
王荊公詩探究 第三章 頁 300－452 台北 文津出版社 1997 年 12 月初版

1433 許清雲 方虛谷詩學中之四種高妙技巧
國立編譯館館刊 9 卷 2 期 頁 223－230 1980 年 12 月

1434　李致洙　討論陳後山詩的形式與技巧
陳後山詩研究　第四章　頁 85－176　國立台灣大學中國文學研究所碩士論文　1982 年　張健指導

1435　孫方琴　許渾詩的形式與技巧
許渾詩研究　第三章　頁 103－141　國立政治大學中國文學研究所碩士論文　1984 年　羅宗濤指導

1436　尤信雄　孟郊詩之修辭特色
孟郊研究　第七章第四節　頁 164－176　台北　文津出版社　1984 年 3 月

1437　翁成龍　蘇舜欽詩之特色及其寫作技巧
台中商專學報　18 期　頁 103－131　1986 年 6 月

1438　金美亨　板橋詩的語言
鄭板橋詩研究　第二章　頁 31－99　輔仁大學中國文學研究所碩士論文　1987 年　黃永武指導

1439　李漢偉　唐代自然詩之表現技巧探究
台南師專學報（下冊，人文科技篇）　20 期　頁 69－82　1987 年 4 月

1440　吳明德　王闓運之詩歌創作——王闓運之修辭特色
王闓運及其詩研究　第五章第三節　頁 194－203　國立台灣師範大學國文研究所碩士論文　1988 年　黃永武指導

1441　談海珠　亭林詩創作藝術
顧亭林詩研究　第四章　頁 312－318　東吳大學中國文學研究所博士論文　1988 年　潘重規指導

1442　浦忠成　穆伯長詩歌析論——修辭之技巧
穆伯長及其作品研究　第五章第四節　頁 99－108　國立台灣師範大學國文研究所碩士論文　1988 年　王更生指導

1443　李致洙　陸游詩的寫作技巧
陸游詩研究　第五章　頁 233－322　國立台灣大學中國文學研究所博士論文　1989 年　張健指導
陸游詩研究　第五章　頁 223－320　台北　文史哲出版社　1991 年 9 月初版

1444　李建崑　試論韓愈七首託鳥爲喻之古體詩
人文學報（中興大學）　19 期　頁 37－54　1989 年 3 月

1445　梁淑媛　唐代詠月詩寫作技巧分析——表現手法
唐代詠月詩研究　第四章第三節　頁 159－197　輔仁大學中國文學研究所碩士論文　1989 年　包根弟指導

1446　劉黎卿　寫作技巧研究——修辭技巧
唐代詠安史之亂詩歌研究　第四章第二節　頁 146－166　輔仁大學中國文學研究所碩士論文　1990 年　包根弟指導

1447　吳美玉　興象深邃，風格遒上——元遺山詩的內涵與修辭
紀念元好問八百年誕辰學術研討會論文集　頁 173－206　紀念元好問八百年誕辰
學術研討會籌備會編　台北　文史哲出版社　1991 年 12 月初版

1448　姜淑敏　黃景仁詩的技巧與風格
黃景仁詩研究　第五章　頁 107－136　國立台灣師範大學國文研究所碩士論文　1993 年　汪中指導

1449　吳淑鈿　陳與義詩的技法與風格
陳與義詩歌研究　第五章　頁 139－204　台北　文津出版社　1993 年 1 月初版

1450　石韶華　宋代詠茶詩的藝術表現
宋代詠茶詩研究　第六章　頁 157－214　國立成功大學中國文學研究所碩士論文　1994 年　張高評指導
宋代詠茶詩研究　第六章　頁 182－246　台北　文津出版社　1996 年 9 月初版

1451　許傑勝　唐代親情詩的形式——唐代親情詩的修辭形式
唐代親情詩研究　第五章第二節　頁 149－151　中國文化大學中國文學研究所碩士論文　1997 年　洪順隆指導

1452　徐國能　隋詩寫作技巧
隋詩研究　第七章　頁 194－224　東海大學中國文學研究所碩士論文　1998 年　李立信指導

1453　翁成龍　李商隱詠物詩的藝術特色
台中商專學報　31 期　頁 1－9　1999 年 6 月

1454　張慧珍　孟郊詩的風格探究——語言修辭的運用
孟郊詩歌研究　第五章第三節　頁 219－230　靜宜大學中國文學研究所碩士論　1999 年　李建崑指導

1455　林彩淑　漢魏敘事詩的藝術表現——藝術特色
漢魏敘事詩研究　第五章第四節　頁 201－225　中國文化大學中國文學研究所碩士論文　1999 年　金榮華指導

1456　康育英　陸游紀遊詩的藝術特色——修辭技巧
陸游紀遊詩研究　第五章第二節　頁 136—155　逢甲大學中國文學研究所碩士論文　1999 年　李立信指導

1457　林聖德　歸莊詩歌藝術研究
歸莊詩文研究　第五章　頁 108－162　東海大學中國文學研究所碩士論文　1999 年　李金星指導

1458　周宏芷　敦煌陷番詩歌的寫作手法——詩歌的修辭技巧
敦煌陷番詩歌研究　第六章第三節　頁 118－124　逢甲大學中國文學研究所　林聰明指導

1459　劉德玲　兩漢雅樂的藝術成就——修辭技巧
兩漢雅樂研究：一個以典禮音樂爲主的考察　第六章第二節　頁 219—227　國立台灣師範大學國文研究所碩士論文　1999 年　邱燮友指導
兩漢雅樂述論：以典禮音樂爲主的考察　第六章第二節　頁 244—256　台北　津出版社公司　2002 年 11 月一刷

1460　蘇珊玉　「看似尋常最奇崛，成如容易卻艱辛」的修辭藝術——以王維邊塞詩爲例
修辭論叢　第二輯　頁 639－673　中國修辭學會、高雄師大國文系編　台北　洪葉文化事業公司　2000 年 7 月初版

1461　張娣明　《唐詩三百首》中律詩修辭析論
修辭論叢　第二輯　頁 605－637　中國修辭學會、高雄師大國文系編　台北　洪葉文化事業公司　2000 年 7 月初版
仰看明月詩當枕——論中國古典詩　第十章〈唐詩三百首中律詩修辭技巧舉隅〉　頁 321－336　台北　萬卷樓圖書公司　2005 年 10 月初版

1462　鄭垣玲　閨閣才女朱淑貞飲酒詩的修辭藝術
修辭論叢　第三輯　頁 797－822　銘傳大學應用中文系所、中國修辭學會、中國語文學會編　台北　洪葉文化事業公司　2001 年 6 月初版

1463　沈惠英　青樓詩人作品之修辭
唐代青樓詩人及其作品研究　頁 161－222　台北　天工書局　2001 年 10 月初版

1464　鄭垣玲　朱淑真飲酒詩的修辭藝術
朱淑真及其斷腸詩　附錄三　頁 185－206　國立中央大學中國文學研究所碩士論文　2002 年　黃麗貞、詹秀惠指導

1465　朱銘貞　李冶薛濤魚玄機詩歌研究——藝術手法
李冶薛濤魚玄機詩歌研究　第五章第一節　頁 170－215　國立屏東師範學院國民教育研究所碩士論文　2002 年　簡貴雀指導

1466　汪美月　楊萬里山水詩的藝術特色
楊萬里山水詩研究　第六章　頁 203—308　國立高雄師範大學國文教學碩士班碩士論文　2002 年　林文欽指導

1467　宋美灼　王冕七言古詩之形式技巧
王冕七言古體詩歌研究　第五章　頁 79－148　台北市立師範學院應用語言文學研究所碩士論文　2002 年　包根弟指導

1468　宋永程　陰鏗的〈渡青草湖〉詩
修辭論叢　第五輯　頁 1261－1279　中國修辭學會、台灣師大國文系編　台北　洪葉文化事業公司　2003 年 11 月初版

1469　劉奇慧　陸游紀夢詩的藝術特色——修辭技巧
陸游紀夢詩研究　第四章第二節　頁 88—99　國立台灣師範大學國文研究所碩士論文　2003 年　陳文華指導

1470　歐純純　陸游與楊萬里詠梅詩之修辭比較
陸游與楊萬里詠梅詩比較研究　第四章　頁 121－254　國立中正大學中國文學系博士論文　2003 年　謝海平指導
陸游與楊萬里詠梅詩較析　第四章　頁 147－312　台南　漢風出版社　2006 年 1 月

1471　林秀珍　蘇轍詩歌之藝術經營

蘇轍詩歌之風格與價值　第六章　頁 269－343　國立高雄師範大學國文學系博士論文　2003 年　張高評指導

1472　張瑞蘭　漢魏懷鄉詩歌的藝術表現
漢魏詩歌中懷鄉意識的研究　第四章　頁 77－137　國立彰化師範大學國文學系在職進修專班碩士論文　2003 年　呂光華指導

1473　謝育爭　曹操〈短歌行〉的修辭藝術
雛鳳清鳴——玄奘大學中國語文學研究所第三屆研究生學術研討會論文集　頁 113－126　新竹　玄奘大學中國語文學研究所編　2004 年 4 月

1474　鍾　華　柳宗元〈江雪〉的章法和辭格的綜合運用簡析
國文天地　20 卷 2 期（總 230）　頁 104－105　2004 年 7 月

1475　蔡淑梓　白居易諷諭詩的創作理論與修辭實踐
玄奘人文社會學院中國語文研究所碩士論文　2004 年　沈謙指導

1476　劉金菊　陶淵明詩修辭探究
玄奘人文社會學院中國語文研究所碩士論文　2004 年　沈謙指導

1477　陳建華　汪元量詩作之藝術特色
汪元量與其詩詞研究　中篇第六章　頁 2-113－2-154　台北　秀威資訊科技公司　2004 年 2 月初版

1478　陳顯頌　韓愈詩修辭藝術探究
國立中興大學中國文學系在職專班碩士論文　2005 年　李建崑指導

1479　沈伊玲　柳如是詩詞之藝術特色——修辭技巧
柳如是及其詩詞研究　第四章第三節　頁 101－124　國立台南大學教育經營與管理研究所碩士論文　2005 年　汪中文指導

1480　毛麗珠　李羣玉詩歌之修辭藝術
李羣玉詩歌研究　第五－六章　頁 89－154　中國文化大學中國文學研究所在職專班碩士論文　2005 年　張仁青指導

㈢古典詩詞曲與修辭（詞）

1. 綜論

1481　方　瑜　試論敦煌曲之起源、內容與修辭

現代文學　40 期　頁 300－310　1970 年 3 月

1482　李若鶯　淒風、恨雨、碧雲、溪煙──試論詞之修辭
國學新探　1 期　頁 123－142　1984 年 1 月

1483　李若鶯　修辭的欣賞
唐宋詞鑑賞通論　第八章　頁 331－462　高雄　復文圖書出版社　1996 年 9 月初版

2. 作家及作品論

【蘇軾及其詞】

1484　謝德瑩　蘇東坡詞之技巧
女師專學報　5 期　頁 285－294　1974 年 5 月

1485　劉曼麗　東坡詞的創作技巧
東坡詞的風格與技巧研究　第五章　頁 139－192　東海大學中國文學研究所碩士論文　1989 年　劉克寬指導

1486　楊麗玲　蘇東坡詠物詞的寫作技巧
蘇東坡詠物詞研究　第五章　頁 91－127　國立台灣師範大學國文研究所碩士論文　1998 年　陳滿銘指導

1487　林慧雅　東坡杭州詞的修辭技巧
東坡杭州詞研究　第五章　頁 84－118　國立台灣師範大學國文研究所碩士論文　2002 年　陳滿銘指導

1488　黃惠暖　東坡詞草木意象的表現手法──意象的表現技巧
東坡詞草木意象研究　第六章第二節　頁 185—215　國立台灣師範大學國文教學碩士班碩士論文　2002 年　陳文華指導

1489　陳啓仁　蘇軾抒懷紀事的敘寫策略
蘇軾詞之創作美學研究　第三章　頁 81－98　中國文化大學中國文學研究所碩士論文　2003 年　趙林指導

【辛棄疾及其詞】

1490　林承坯　稼軒詞的藝術成就
稼軒詞之內容及其藝術成就　第三章　頁 67－163　國立台灣師範大學國文研究所碩士論文　1986 年　陳滿銘指導

1491　林承坏　稼軒詠物詞之藝術表現
辛稼軒詠物詞研究　第六章　頁 126－240　國立台灣師範大學國文研究所博士論文　1993 年　陳滿銘指導

1492　王翠芳　稼軒豪放詞之語言藝術
稼軒豪放詞風之美學研究　第七章　頁 221－271　國立高雄師範大學國文學系博士論文　2001 年　龔顯宗指導

【其他詞家作品】

1493　韋金滿　柳蘇周三家詞之修辭比較研究
台北　天工書局　1997 年 2 月初版

1494　權寧蘭　竹垞詞的形式——修辭技巧
朱竹垞詞研究　第三章第三節　頁 60－69　國立台灣師範大學國文研究所碩士論文　1984 年　陳滿銘指導

1495　王秀雲　東堂詞形式技巧
毛滂東堂詞研究　第四章　頁 93－133　東吳大學中國文學研究所碩士論文　1984 年　黃啓方指導

1496　黃文吉　宋南渡詞人的作品特色——修辭協律舉隅
宋南渡詞人　第三章第九節　頁 88－96　台北　台灣學生書局　1985 年 5 月初版

1497　黃瑞枝　碧山詞之修辭
王碧山詞之藝術研究　第七章　頁 235－338　高雄　復文圖書出版社　1991 年 10 月初版

1498　李若鶯　色彩字在詞中的修辭作用——以柳永詞中的「紅」與「綠」爲例
花落蓮成——詞學瑣論　頁 81－106　高雄　復文圖書出版社　1992 年 2 月初版

1499　黃瑞枝　王碧山詞藝術表現之探討
八十學年度師範學院教育學術論文發表會論文集　頁 1383－1402　國立台中師範學院編　1992 年 6 月
屏東師院學報　6 期　頁 125－144　1993 年 6 月

1500　段莉芬　「花間集」中婦女的頭面裝飾及其在修辭上的效果
建國學報　15 期　頁 15－28　1996 年 6 月

1501　黃雅莉　談溫詞幽隱的藝術技巧
國文天地　12 卷 4 期（總 136）　頁 80－84　1996 年 9 月

1502　黃玫娟　晏幾道、秦觀詞藝術技巧之比較
宋代文學研究叢刊　4 期　頁 333－376　高雄　麗文文化事業公司　1998 年 2 月

1503　楊肅衡　文人詞修辭之運用
唐代文人詞之研究　第七章　頁 249—274　國立台灣師範大學國文研究所碩士論文　1999 年　邱燮友指導

1504　楊秀芬　蔣捷詞的文藝美學——修辭手法
蔣捷詞的文藝美學　第五章第一節　頁 149－168　銘傳大學應用中國文學系碩士班碩士論文　2000 年　江惜美指導

1505　李若鶯　晏幾道〈鷓鴣天〉修辭試探
高雄師大學報　11 期　頁 3－14　2000 年 4 月

1506　欒秀拔　香蘭腸斷緣何事？——龔自珍「木蘭花慢」修辭特色
中國語文　86 卷 6 期（總 516）　頁 54－58　2000 年 6 月

1507　呂靜雯　《樂章集》修辭藝術之探究
淡江大學中國文學系碩士論文　2001 年　左松超指導

1508　許奎文　黃庭堅詞形式研究——修辭
黃庭堅詞研究　第五章第二節　頁 85—120　國立台灣師範大學中國文學研究所碩士論文　2001 年　陳文華指導

1509　林宛瑜　晁補之及其詞研究——修辭
晁補之及其詞研究　第六章第四節　頁 150－169　國立中央大學中國文學研究所碩士論文　2001 年　陳文華指導

1510　呂瑞萍　宋代詠茶詞之藝術技巧分析
宋代詠茶詞研究　第五章　頁 202－337　國立台灣師範大學國文研究所碩士論文　2001 年　陳滿銘指導

1511　江姿慧　珠玉詞之藝術技巧——修辭
晏殊珠玉詞研究　第五章第二節　頁 115－126　國立台灣師範大學國文研究所碩士論文　2002 年　陳滿銘指導

1512　吳平盛　李清照詞及其修辭技巧研究
中國文化大學中國文學研究所碩士在職專班碩士論文　2002 年

廖一瑾指導

1513　賴慶芳　南宋詠梅詞藝術特色
南宋詠梅詞研究　第五章　頁 247－326　台北　台灣學生書局　2003 年 8 月初版

1514　謝奇懿　論清真詞長調中的「回環往復」結構
修辭論叢　第五輯　頁 924－956　中國修辭學會、台灣師大國文系編　台北　洪葉文化事業公司　2003 年 11 月初版

1515　陳秀芳　歐詞中描寫女性的修辭藝術
歐陽修詞中女性描寫藝術研究　第五章　頁 81－113　南華大學文學研究所碩士論文　2004 年　陳章錫指導

1516　廖淑幸　《斷腸集》之藝術表現
朱淑真《斷腸集》研究　第五章　頁 187－255　台北市立師範學院應用語言文學研究所博士論文　2004 年　江惜美指導

1517　蘇春榮　《珂雪詞》的語言藝術——修辭
曹貞吉《珂雪詞》研究　第六章第二節　頁 158－192　中國文化大學中國文學研究所碩士論文　2004 年　邱燮友指導

1518　陳建華　汪元量詞作之藝術技巧
汪元量與其詩詞研究　下篇第六章二、三節　頁 3-60－3-73　台北　秀威資訊科技公司　2004 年 2 月初版

㈣古典詩詞曲與修辭（散曲、劇曲）

1. 綜論

1519　王安祈　散曲的語言藝術
詩詞曲的研究　頁 427－444　中華文化復興運動推行委員會主編、出版　1991 年 2 月初版

2. 作家及作品論

1520　曾瓊連　辭采音律之藝術成就
西廂記之版本及其藝術成就　第四章　頁 138—151　國立台灣師範大學國文研究所碩士論文　1986 年　賴橋本指導

1521　魏靖峰　〈長生殿・驚變〉的類疊、仿擬與句中對
中國語文　66卷6期（總396）　頁20－23　1989年10月

1522　李金恂　天籟集形式之分析
白樸「天籟集」研究　第四章　頁44－68　國立高雄師範大學國文研究所碩士論文　1990年　王忠林指導

1523　黃麗貞　關漢卿散曲的修辭技巧
關漢卿國際學術研討會論文集　頁351－372　關漢卿國際學術研討會編輯委員會編　台北　行政院文化建設委員會　1994年1月

1524　簡翠貞　元劇口語修辭舉隅──探討三字以上的擬聲詞及狀物詞
語文學報（國立新竹師院）　2期　頁69－119　1995年6月

1525　林佳樺　「牡丹亭・驚夢」的修辭藝術（一）
中國語文　85卷3期（總507期）　頁63－70　1999年9月

1526　林佳樺　「牡丹亭・驚夢」的修辭藝術（二）
中國語文　85卷4期（總508）　頁50－59　1999年10月

1527　林佳樺　「牡丹亭・驚夢」的修辭藝術（三）
中國語文　85卷5期（總509）　頁61－69　1999年11月

1528　張玲瑜　《牡丹亭》中情境空間的建構──就〈驚夢〉、〈尋夢〉二折論之
修辭論叢　第三輯　頁1027－150　銘傳大學應用中文系所、中國修辭學會、中國語文學會編　台北　洪葉文化事業公司　2001年6月初版

1529　蔡造珉　《聊齋俚曲》之語言藝術──修辭技巧
蒲松齡聊齋俚曲研究　第七章第一節　中國文化大學中國文學研究所博士論文　頁363－386　2003年　羅敬之指導
寫鬼寫妖，刺貪刺虐──《聊齋俚曲》新論　第六章第一節　頁325－338　台北　萬卷樓圖書公司　2003年10月初版

1530　李雲霞　施紹莘散曲的言語藝術
施紹莘及其散曲之研究　第五章　頁108－144　國立台灣師範大學國文研究所碩士論文　2003年　黃麗貞指導

1531　黃麗貞　《雲莊樂府》的修辭藝術（一）
中國語文　96卷1期（總571）　頁7－13　2005年1月

1532　黃麗貞　《雲莊樂府》的修辭藝術（二）

中國語文　96 卷 2 期（總 572）　頁 7－13　2005 年 2 月

1533　黃麗貞　《雲莊樂府》的修辭藝術（三）
中國語文　96 卷 3 期（總 573）　頁 7－13　2005 年 3 月

(五)辭賦體與修辭

1534　葉慶炳　長門賦的寫作技巧
文學雜誌　2 卷 1 期　頁 17－21　1957 年 3 月

1535　許世瑛　談談思舊賦的寫作技巧與用韻
許世瑛先生論文集　頁 521－529　台北　弘道文化事業有限公司　1974 年 8 月初版

1536　林麗雪　論六朝賦之藝術表現——修辭技法之運用
六朝賦之抒情傳統與藝術表現　第四章第三節　頁 174－186　國立台灣師範大學國文研究所碩士論文　1983 年　繆天華指導

1537　白承錫　王褒辭賦之組織及修辭分析
王褒及其賦研究　第三章　頁 153－175　東海大學中國文學研究所碩士論文　1983 年　簡宗梧指導

1538　廖國棟　魏晉詠物賦之修辭技巧
魏晉詠物賦研究　第十一章　頁 447－498　國立政治大學中國文學研究所碩士論文　1985 年　羅宗濤、簡宗梧指導
魏晉詠物賦研究　第十一章　頁 447－498　台北　文史哲出版社　1990 年 10 月三版

1539　陳韻竹　歐蘇辭賦之綜合比較——歐蘇辭賦之修辭技巧
歐陽修蘇軾辭賦之比較研究　第六章第二節　頁 198－206　台北　文史哲出版社　1986 年 9 月初版

1540　何沛雄　六朝駢賦對句形式初探
漢魏六朝賦論集　頁 179－201　台北　聯經出版事業公司　1990 年 4 月初版

1541　金良美　文賦的修辭技巧
陸機文賦研究　第五章　頁 133—148　國立台灣師範大學國文研究所碩士論文　1992 年　黃慶萱指導

1542　李瓊英　宋代散文賦的特色——修辭技巧的靈活運用
宋代散文賦研究　第四章第四節　頁 166—173　國立台灣師範大學國文研究所碩士論文　1992 年　葉慶炳指導

1543　陳怡良　〈離騷〉修辭藝術舉隅
成大中文學報　第 2 期　頁 35－72　1994 年 2 月

1544　黃智群　「漁父」正偽、思想意識、藝術技巧的探究
雲漢學刊（成功大學）　4 期　頁 239－258　1997 年 5 月

1545　廖志強　南朝賦之藝術成就
南朝賦闡微　第三章　頁 178－300　台北　天工書局　1997 年 9 月初版

1546　何永清　〈國殤〉的修辭試探
中國語文　84 卷 3 期（總 501）　頁 72－75　1999 年 3 月

1547　黃水雲　六朝駢賦之形式技巧
六朝駢賦研究　第五章　頁 205－263　台北　文津出版社　1999 年 10 月初版

1548　黃水雲　六朝駢賦之性質
六朝駢賦研究　第六章　頁 264－321　台北　文津出版社　1999 年 10 月初版

1549　梁淑媛　漢代敘事賦結構研究
修辭論叢　第一輯　頁 183－215　中國修辭學會、台灣師大國文系編　台北　洪葉文化事業公司　1999 年 8 月初版

1550　何永清　〈國殤〉的修辭
修辭漫談　頁 91－96　台北　台灣商務印書館　2000 年 4 月初版

1551　林佳樺　楚辭修辭藝術探微
國立台灣師範大學國文研究所碩士論文　2001 年　蔡宗陽指導

1552　許秀美　屈原〈離騷〉中「擬陰性」之修辭策略探析
三重商工學報　頁 79－87　2004 年 5 月

㈥古典散文與修辭

1. 綜論

1553　鄭子瑜　唐宋八大家古文修辭偶疏舉要
台北　書林出版社　1995年一版

*2149 黃慶萱　談瑜說瑕——評鄭子瑜《唐宋八大家古文修辭偶疏舉要》
中央日報　1993年11月9日
與君細論文　頁265－267　台北　東大圖書公司　1999年3月初版

1554　周振甫　文章例話——卷三．修辭篇
台北　蒲公英出版社　出版年月不詳
台北　五南圖書公司　1994年5月初版

1555　余昭玟　古文閱讀與修辭
高雄　春暉出版社　2000年9月初版

1556　黃慶萱　中國散文之修辭
中國散文之面貌　第四章　頁105－176　台北　中華文化復興運動推行委員會編印　1984年5月

1557　曹　煒　文言文今譯與修辭
中國語文　79卷4期（總472）　頁61－63　1996年10月

1558　馮永敏　文章辭采藝術探微
國立編譯館館刊　26卷1期　頁263－289　1997年6月

1559　馮永敏　散文辭采的鑑賞藝術
散文鑑賞藝術探微　第六章　頁223－269　台北　文史哲出版社　1997年5月初版

1560　熊　琬　古文運思筆法之結構研究
古典文學　第十四集　頁15－67　台北　台灣學生書局　1997年5月初版

2. 作家及作品論

【韓愈及其文】

1561　李　英　論韓愈謀篇造句修辭的特色

新潮（國立台灣大學大學中文學會）　34 期　頁 31－46　1977 年 6 月

1562　鍾吉雄　〈進學解〉的特色及其表達技巧
中國語文　56 卷 1 期（總 331）　頁 52－55　1985 年 1 月

1563　陳素素　宋祁張巡傳許遠傳刪節韓愈張中丞傳後敘部份之修辭比較研究
東吳文史學報　第五號　頁 102－114　1986 年 8 月

1564　陳素素　從文法觀韓愈〈進學解〉之修辭技巧
東吳文史學報　第九號　頁 69－82　1991 年 3 月

1565　陳素素　從文法觀點以探討韓愈〈答李翊書〉之修辭特色
東吳文史學報　第十號　頁 53－74　1992 年 3 月

1566　陳素素　從文法觀點以探討韓愈〈圬者王承福傳〉之修辭特色
東吳文史學報　第十一號　頁 49－76　1993 年 3 月

1567　陳素素　從文法觀點以探討韓愈〈毛穎傳〉之修辭特色並略論其仿擬史記之處
東吳文史學報　第十二號　頁 21－53　1994 年 3 月

1568　劉正忠　韓愈贈序散文的藝術
大陸雜誌　90 卷第 6 期　頁 10－16　1995 年 6 月

1569　陳素素　韓愈〈送窮文〉新探
東吳中文學報　2 期　頁 87－124　1996 年 5 月

1570　陳素素　鄭子瑜《唐宋八大家古文修辭偶疏舉要》所舉韓愈文之商榷——以立意為主
古典文學　第 14 集　頁 69－125　台北　台灣學生書局　1997 年 5 月

1571　陳素素　鄭子瑜修訂韓文之商榷——以篇章修辭為主
東吳中文學報　第 4 期　頁 165－188　1998 年 5 月

1572　陳素素　鄭子瑜韓文句法修訂之商榷——從漢語句法結構繁簡之法觀察
修辭論叢　第一輯　頁 335－363　中國修辭學會、台灣師大國文系編　台北　洪葉文化事業公司　1999 年 8 月初版

1573　陳素素　鄭子瑜韓文句法修訂之商榷——從結構對應、結構氣韻之法觀察
修辭論叢　第二輯　頁 49－85　中國修辭學會、高雄師大國文系編　台北　洪葉文化事業公司　2000 年 7 月初版

1574 陳素素 韓愈〈原道〉篇章修辭特色
東吳中文學報 7期 頁81－104 2001年5月
1575 陳素素 韓愈〈原道〉句法修辭特色
修辭論叢 第三輯 頁918－970 銘傳大學應用中文系所、中國修辭學會、中國語文學會編 台北 洪葉文化事業公司 2001年6月初版
1576 陳光明 「師說」中的修辭技巧——丫叉句法
國文天地 17卷4期（總196） 頁11－13 2001年9月
1577 胡楚生 韓愈贈序文的寫作技巧
唐代文化學術研討會論文集 頁215－224 中國唐代學會、國立中正大學中國文學系、歷史系編 高雄 麗文文化事業公司 2001年9月初版
1578 李鍾漢 韓國如何評論韓愈散文的藝術成就
修辭論叢 第五輯 頁1228－1238 中國修辭學會、台灣師大國文系編 台北 洪葉文化事業公司 2003年11月初版
1579 陳素素 韓愈贈方外友序篇章修辭特色略探
修辭論叢 第六輯 頁289－311 中國修辭學會、玄奘大學中文系編 台北 洪葉文化事業公司 2004年11月初版

【柳宗元及其文】

1580 高光敏 柳宗元贈序文作法探析
修辭論叢 第五輯 頁728－746 中國修辭學會、台灣師大國文系編 台北 洪葉文化事業公司 2003年11月初版
1581 鄭垣玲 奇峭幽麗的山水畫廊——柳宗元《永州八記》的內容情景與修辭藝術
修辭論叢 第五輯 頁1214－1227 中國修辭學會、台灣師大國文系編 台北 洪葉文化事業公司 2003年11月初版
1582 梁姿茵 柳宗元〈鶻說〉之章法修辭及要旨探析
中國語文 97卷6期（總582） 頁58－62 2005年12月
1583 黃淑貞 柳宗元傳記散文之作法與藝術特色（上）
中國語文 97卷6期（總582） 頁46－51 2005年12月

1584　黃淑貞　柳宗元傳記散文之作法與藝術特色（下）
中國語文　98卷1期（總583）　頁52－62　2006年1月

【蘇軾及其文】

1585　黃瑞枝　管窺〈留侯論〉的寫作技巧
中國語文　57卷3期（總339）　頁49－51　1985年9月
中國文學探微　頁327－335　台北　五南圖書出版公司　1998年9月初版

1586　邱德修　蘇子〈超然臺記〉之修辭藝術
修辭論叢　第二輯　頁581－603　中國修辭學會、高雄師大國文系編　台北　洪葉文化事業公司　2000年7月初版

1587　黃春貴　〈留侯論〉修辭賞析
明道文藝　299期　頁169－175　2001年2月

1588　劉奇慧　蘇軾〈超然臺記〉的修辭探析
修辭論叢　第三輯　頁163－189　銘傳大學應用中文系所、中國修辭學會、中國語文學會編　台北　洪葉文化事業公司　2001年6月初版

1589　李慕如　試透析東坡〈後杞菊賦〉
修辭論叢　第四輯　頁283－307　中國修辭學會、輔仁大學中文系編　台北　洪葉文化事業公司　2002年6月初版

【其他文家作品】

1590　田素蘭　袁中郎散文的藝術風格——善用修辭技巧
袁中郎文學研究　第六章第一節　頁191－193　台北　文史哲出版社　1982年3月初版

1591　余崇生　〈陋室銘〉寫作技巧之探析
中國語文　54卷2期（總320）　頁65－67　1984年2月

1592　黃瑞枝　〈貴公〉一文的句法論
中國語文　57卷1期（總337）　頁23－31　1985年7月
中國文學探微　頁221－230　台北　五南圖書出版公司　1998年9月初版

1593　黃瑞枝　〈禮記檀弓〉選句法賞析
中國語文　57卷1期（總337）　頁40－45+10　1986年6月
中國文學探微　頁175－181　台北　五南圖書出版公司　1998年9月初版

1594　沈　謙　從技巧與寓意論王安石「遊褒禪山記」
紀念司馬光與王安石逝世九百周年學術研討會論文集　頁489－505　台北　國家文藝基金會、國立政治大學主編　1986年10月

1595　浦忠成　穆伯長散文析論——精切穩妥之修辭
穆伯長及其作品研究　第六章第三節　頁147－155　國立台灣師範大學國文研究所碩士論文　1988年　王更生指導

1596　何永清　袁中郎〈西湖雜記〉修辭賞析
中國語文　63卷6期（總378）　頁25－28　1988年12月
修辭漫談　頁160－166　台北　台灣商務印書館　2000年4月初版

1597　姚振黎　曾鞏散文寫作藝巧發微
中大人文學報　7期　頁69－82　1989年6月

1598　張慧珍　袁枚小品文之修辭技巧
袁枚小品文研究　第六章　頁142－163　國立政治大學中國文學研究所碩士論文　1990年　董金裕指導

1599　何永清　〈戰國冊目錄序〉技巧試析
中國語文　66卷2期（總392）　頁28－30　1990年2月

1600　沈　謙　范仲淹的散文藝術——從技巧、寓意析論「岳陽樓記」
紀念范仲淹一千年誕辰國際學術研討會論文集　頁133－170　台北　國立台灣大學文學院　1990年6月

1601　楊鴻銘　蘇洵六國論等文修辭論
孔孟月刊　29卷4期（總340）　頁45－47　1990年12月

1602　呂武志　杜牧散文之藝術特色
杜牧散文研究　第六章　頁151－210　國立台灣師範大學國文研究所博士論文　1993年　王更生指導
杜牧散文研究　第六章　頁151－224　台北　台灣學生書局　1994年5月初版

1603　蔡宗陽　與陳伯之書的修辭技巧

國文天地　8卷8期（總92）　頁12－19　1993年1月
修辭學探微　頁415－426　台北　文史哲出版社　2001年4月初版

1604　蔡宗陽　〈愛蓮說〉的布局與修辭技巧
中國語文　72卷3期（總429）　頁62－64　1993年3月

1605　方元珍　王荊公之散文修辭
王荊公散文研究　第十章　頁223－243　台北　文史哲出版社　1993年3月初版

1606　翁淑媛　曹植散文的藝術特色
曹植散文研究　第五章　頁87－127　國立台灣師範大學國文研究所碩士論文　1995年　王更生指導

1607　楊鴻銘　戰國策馮諼客孟嘗君等文重字論
孔孟月刊　34卷5期（總401）　頁49－50　1996年1月

1608　林芬芳　陸雲文章之研究——形式技巧
陸雲及其作品研究　第五章第二節　頁166－180　中國文化大學中文研究所碩士論文　1996年6月　洪順隆指導
陸雲及其作品研究　第五章第二節　頁143－156　台北　文津出版社　1997年6月初版

1609　陳淑美　潘岳的文章研究——文章的形式技巧
潘岳及其詩文研究　第五章第三節　頁177－192　中國文化大學中文研究所碩士論文　1996年6月　洪順隆指導
潘岳及其詩文研究　第五章第三節　頁175－194　台北　文津出版社　1999年8月初版

1610　張美娥　陳亮散文之藝術形式——修辭
陳亮散文研究　第五章第一節　頁138—151　國立台灣師範大學國文研究所碩士論文　1997年　陳滿銘指導

1611　楊鴻銘　李斯〈諫逐客書〉等文整齊論
孔孟月刊　36卷1期（總421）　頁50－51　1997年9月

1612　楊鴻銘　袁宏道〈晚遊六橋待月記〉等文描寫論
孔孟月刊　36卷3期（總423）　頁45－46　1997年11月

1613　呂新昌　震川之散文創作——散文修辭
歸震川及其散文　第六章第二節　頁206－211　台北　文津出版

社　1998 年 7 月

1614　陳松雄　魏晉文之形式與風格
第三屆魏晉南北朝文學國際學術研討會論文集　頁 331－379　東海大學中國文學系、中國古典文學研究會主編　1998 年 8 月初版

1615　蒲基維　徐幹散文之藝術特色
徐幹散文研究　第五章　頁 111－178　國立台灣師範大學國文研究所碩士論文　1998 年　陳滿銘指導

1616　林于弘　論〈燭之武退秦師〉中的辭令經營
中國語文　85 卷 1 期（總 505）　頁 63－66　1999 年 7 月

1617　何永清　《幽夢影》的修辭手法探究
中國語文　85 卷 5 期（總 509）　頁 47－54　1999 年 11 月

1618　何永清　《浮生六記》的修辭探究
中國語文　85 卷 6 期（總 510）　頁 53－59　1999 年 12 月

1619　孫淑芳　袁中郎尺牘之修辭特色——列舉、排比與層遞
僑光學報　18 期　頁 191－218　2000 年 11 月

1620　陳莞菁　晚唐諷刺小品文研究——表現技巧的運用
晚唐諷刺小品文研究　第四章第二節　頁 133－147　國立成功大學中國文學系碩士論文　2000 年　廖美玉指導

1621　何永清　〈陋室銘〉的文章藝術
中國語文　88 卷 6 期（總 528）　頁 83－85　2001 年 6 月

1622　高旖璐　幽夢影雋永奇妙的修辭技巧
張潮幽夢影研究　第六章　頁 159－202　國立彰化師範大學國文學系在職專班碩士論文　2001 年　黃忠慎指導
張潮與幽夢影　第五章　頁 97－130　台北　萬卷樓圖書公司　2004 年 1 月初版

1623　許懿丰　由「文質」觀念論丘遲〈與陳伯之書〉
修辭論叢　第三輯　頁 479－508　銘傳大學應用中文系所、中國修辭學會、中國語文學會編　台北　洪葉文化事業公司　2001 年 6 月初版

1624　蘇恆雅　從《陶庵夢憶》與《西湖夢尋》的修辭表現論張岱遺民意識運用的策略

修辭論叢　第四輯　頁727－761　中國修辭學會、輔仁大學中文系編　台北　洪葉文化事業公司　2002年6月初版

1625　卓伯翰　蘇洵散文特色之研究
東吳中文研究所集刊　9期　頁257－281　2002年9月

1626　李淑婷　由〈報劉一丈書〉的修辭試論明代宗臣的古文風格
中正大學中國文學研究所研究生論文集刊　5期　頁19－36　2003年5月

1627　宋菊芬　歸有光散文的修辭藝術
歸有光散文研究　第四章第三節　頁188－214　中國文化大學中國文學研究所碩士在職專班碩士論文　2003年　李德超指導

1628　李興寧　史傳文學的敘事藝術──以魏晉時期別傳爲範圍
修辭論叢　第五輯　頁1062－1103　中國修辭學會、台灣師大國文系編　台北　洪葉文化事業公司　2003年11月初版

1629　高旖璐　探討「幽夢影」的審美手法
國文天地　19卷12期（總228）　頁56－61　2004年5月

1630　黃文星　《幽夢影》修辭藝術研究
南華大學文學研究所碩士論文　2004年　胡仲權指導

1631　呂麗玲　姚選韓文書說類謀篇修辭研究
東吳大學中國文學研究所碩士論文　2004年　陳素素指導

1632　林碧珠　探討「燭之武退秦師」的談判與修辭技巧
中國語文　94卷6期（總564）　頁50－54　2004年6月

1633　呂麗玲　論劉開「問說」的辭章特色──從章法及引用修辭兩角度切入
東吳中文研究集刊　11期　頁129－143　2004年7月

1634　李　李　試探袁小修遊記小品的修辭章法
修辭論叢　第六輯　頁267－288　中國修辭學會、玄奘大學中文系編　台北　洪葉文化事業公司　2004年11月初版

1635　何淑貞　陶淵明詩序的藝術美
修辭論叢　第六輯　頁495－511　中國修辭學會、玄奘大學中文系編　台北　洪葉文化事業公司　2004年11月初版

1636　陳素素　從篇章句法論東方朔〈答客難〉修辭特色
先秦兩漢學術研討會論文集　頁37－70　東吳大學中國文學系編

2005 年 1 月

1637　楊秀華　李卓吾散文研究——修辭技巧
李卓吾散文研究　第五章第二節　頁 113－144　玄奘人文社會學院中國語文研究所碩士論文　2005 年　沈謙指導

1638　謝佳惠　〈縱囚論〉的文勢營造——從修辭、文法、結構切入
國文天地　21 卷 4 期（總 244）　頁 77－82　2005 年 9 月

1639　董雅蘭　閑中著色——論張岱〈柳敬亭說書〉之修辭藝術
育達學報　19 期　頁 1－8　2005 年 12 月

㈦古典小說與修辭

1. 綜論

1640　高明　論小說修辭
高明文輯（下）　頁 247－263　台北　黎明文化事業公司　1978 年 3 月初版

1641　周振甫　小說例話——修辭、結構、人物
小說例話　卷二　頁 3－44　台北　五南圖書出版公司　1994 年 5 月初版

1642　吳禮權　古典小說篇章結構修辭史
台北　台灣商務印書館　2005 年 12 月初版

2. 作家及作品論

1643　朴正道　聊齋志異研究—表現藝術的研究
聊齋志異研究　第五章　頁 260－312　國立台灣師範大學國文研究所博士論文　1989 年　楊昌年指導

1644　金正起　三國演義修辭藝術探究
東吳大學中國文學研究所碩士論文　1992 年　沈謙指導

1645　王希杰　紅樓夢修辭短話兩題
中國語文　81 卷 4 期（總 484）　頁 53－59　1997 年 10 月

1646　金正起　水滸傳修辭藝術研究
東吳大學中國文學研究所博士論文　1999 年　沈謙指導

1647　薛元鍾　《二十年目睹之怪現狀》之修辭技巧
《二十年目睹之怪現狀》寫作技巧研究　第四章　頁 111－166　東吳大學中國學系碩士論文　2000 年　沈謙指導

1648　薛元鍾　《二十年目睹之怪現狀》修辭技巧探究
中國現代文學理論　17 期　頁 114－132　2000 年 3 月

1649　金正起　《水滸傳》人物語言藝術
修辭論叢　第二輯　頁 353－383　中國修辭學會、高雄師大國文系編　台北　洪葉文化事業公司　2000 年 7 月初版

1650　孫如文　孽海花研究——語言修辭
孽海花研究　第七章第三節　頁 129—132　國立台灣師範大學國文研究所碩士論文　2003 年　楊昌年指導

1651　謝佳容　小說的多層次敘事——以《聊齋誌異》中「異史氏曰」爲例
修辭論叢　第五輯　頁 839－864　中國修辭學會、台灣師大國文系編　台北　洪葉文化事業公司　2003 年 11 月初版

1652　洪淑苓　交換女人——昭君故事的敘事、修辭與性別政治
國文學報　34 期　頁 177－200　2003 年 12 月

1653　金明求　宋元話本小說中「人物描寫」之敘述形式——小說修辭學之適用
修辭論叢　第六輯　頁 213－248　中國修辭學會、玄奘大學中文系編　台北　洪葉文化事業公司　2004 年 11 月初版

1654　朱可鑫　西遊記修辭現象研究
南華大學文學研究所碩士論文　2005 年　沈謙指導

1655　張有政　鏡花緣修辭藝術探微
國立台灣師範大學國文教學碩士班碩士論文　2005 年　蔡宗陽指導

1656　朴貞愛　《老殘遊記》之修辭藝術技巧
《老殘遊記》的語言藝術研究　第五章　頁 151－216　中國文化大學中國文學研究所碩士論文　2005 年　邱燮友指導

㈧台灣古典文學與修辭

1657　朱學瓊　劍花詩的藝術表現技巧
國立編譯館館刊　11 卷 2 期　頁 79－107　1982 年 12 月

1658　朱學瓊　劍花詩散論——鍊句舉隅
國立編譯館館刊　14 卷 2 期　頁 53－62　1985 年 12 月

1659　劉麗卿　清代台灣八景詩的形式分析——表現手法
清代台灣八景與八景詩　第六章第二節　頁 121－134　國立中興大學中國文學研究所碩士論文　2000 年 6 月　吳福助指導
清代台灣八景與八景詩　第六章第二節　頁 223－246　台北　文津出版社　2002 年 4 月初版

1660　林淑慧　清治時期散文中的文化變遷書寫鑑賞——修辭的鑑賞
台灣清治時期散文發展與文化變遷　第六章第四節　頁 259－267　國立台灣師範大學國文研究所博士論文　2004 年　莊萬壽指導

㈨佛教文學與修辭

0540　丁　敏　佛教譬喻文學研究
國立政治大學中國文學研究所博士論文　1991 年　羅宗濤指導
台北　東初出版社　1996 年 3 月
高雄　佛光山文教基金會　2004 年

1661　丁　敏　佛教經典故事的主題特色及創作技巧
台北市立師院學報　23 期　頁 265－282　1992 年 6 月

1662　譚惠文　《妙法蓮華經》譬喻文學之研究
國立中正大學中國文學系碩士論文　1997 年　鄭阿財指導

1663　王立文、蕭麗華　「六祖壇經」的語言藝術與思考方法
人文與管理學報　1 卷 1 期　頁 39－54　1997 年 3 月

1664　張美蘭　禪宗語言的修辭
禪宗語言概論　頁 313－341　台北　五南圖書出版公司　1998 年 4 月初版

1665　陳清俊　「百喻經」析論
台北師院語文集刊　4 期　頁 103－140　1999 年 6 月

1666　徐孟志　〈法華經講經文〉與注疏之修辭比較
〈法華經講經文〉與《法華經》注疏之比較研究　頁 177—197　玄奘大學中國語文研究所碩士論文　2003 年　羅宗濤指導

1667　簡聖宗　「大唐西域記」傳說故事之語言特色
中國語文　93卷2期（總554）　頁66－75　2003年8月

1668　簡聖宗　論《大唐西域記》人物形象之塑造
修辭論叢　第五輯　頁747－760　中國修辭學會、台灣師大國文系編　台北　洪葉文化事業公司　2003年11月初版

1669　李玉珍　「長老尼偈」的修辭敘事——兼以對照「長老偈」
國立台灣大學佛學研究中心學報　9期　頁1－36　2004年7月

1670　呂姝貞　《勸發菩提心集》的修辭特色
慧沼《勸發菩提心集》研究　第四章　頁95－148　玄奘人文社會學院宗教學研究所碩士論文　2004年　沈謙指導
勸發菩提心集研究　第四章　頁199－308　台南　妙心出版社　2006年7月

1671　陳昭伶　「維摩詰經講經文」之修辭技巧
中國語文　95卷5期（總569）　頁73－79　2004年11月

1672　何永清　《心經》的修辭探究
中國語文　96卷1期（總571）　頁62－66　2005年1月

㈩甲骨文、鐘鼎文、出土文獻與修辭

1673　邱德修　春秋〈子軋編鐘銘〉的修辭藝術
修辭論叢　第一輯　頁117－137　中國修辭學會、台灣師大國文系編　台北　洪葉文化事業公司　1999年8月初版

1674　邱德修　殷卜辭的修辭藝術——以〈王往逐兕〉章爲例
修辭論叢　第四輯　頁361－372　中國修辭學會、輔仁大學中文系編　台北　洪葉文化事業公司　2002年6月初版

1675　邱德修　《上博簡》（二）〈容成氏〉用字構詞研究
修辭論叢　第五輯　頁193－219　中國修辭學會、台灣師大國文系編　台北　洪葉文化事業公司　2003年11月初版

1676　黃麗娟　中山王嚳壺銘文章法試析
修辭論叢　第五輯　頁441－455　中國修辭學會、台灣師大國文系編　台北　洪葉文化事業公司　2003年11月初版

(十一) 現代文學與修辭

1. 總論

1678　江　南　當代文學中修辭的拓展與創新
修辭論叢　第四輯　頁 647－664　中國修辭學會、輔仁大學中文系編　台北　洪葉文化事業公司　2002 年 6 月初版

2. 現代詩與修辭

(1) 綜論

1679　楊昌年　現代詩的創作與欣賞——詩作技巧舉隅
現代詩的創作與欣賞　第一章第五節　頁 58－84　台北　文史哲出版社　1995 年 2 月修訂再版

1680　莊銀珠　現代詩的修辭技巧
高中國文教學設計活路(補編)　第七章第三節　頁 246－270　高雄　復文圖書出版社　1997 年 5 月初版

1681　莊銀珠　現代詩的修辭技巧
高中國文教學設計活路　第三章　頁 33－59　高雄　復文圖書出版社　1997 年 8 月初版

1682　王同書　美詩五訣——意境、側面、細節、比擬、警策(上)
乾坤詩刊　6 期　頁 5－10　1998 年 4 月

1683　王同書　美詩五訣——意境、側面、細節、比擬、警策(下)
乾坤詩刊　7 期　頁 19－23　1998 年 7 月

1684　楊鴻銘　新詩修辭的方法
新詩創作與批評　22 章　頁 147－151　台北　文史哲出版社　2002 年 11 月初版

1685　楊鴻銘　新詩新的修辭法
孔孟月刊　37 卷 8 期(總 440)　頁 47－48　1999 年 4 月
新詩創作與批評　23 章　頁 152－160　台北　文史哲出版社　2002 年 11 月初版

1686　李若鶯　「飛白」、「析字」與「雙關」在現代詩中的運用

修辭論叢　第三輯　頁 995－1026　銘傳大學應用中文系所、中國修辭學會、中國語文學會編　台北　洪葉文化事業公司　2001 年 6 月初版

1687　楊鴻銘　新詩描寫的方法
中國語文　92 卷 1 期（總 547）　頁 25－32　2003 年 1 月

1688　仇小屏　新詩藝術論之一：從修辭（含煉詞）與文法切入
國文天地　19 卷 1 期（總 217）　頁 71－74　2003 年 6 月

1689　傅宜禎　新詩修辭技巧之「分寫」論
大仁學報　23 期　頁 103－125　2003 年 6 月

1690　陳仲義　語法修辭：壓縮、捶扁、拉長、磨利
現代詩技藝透析　頁 139－146　台北　文史哲出版社　2003 年 12 月初版

1691　王靖丰　鄉愁與記憶的修辭
文學與社會學術研討會：2004 青年文學會議論文集　頁 85－113　台南　國家台灣文學館　2004 年 12 月

1692　王靖丰　鄉愁與記憶的修辭——台灣鄉愁詩的轉變
文訊　232 期　頁 44－45　2005 年 2 月

（2）作家及作品論

1693　張嘉惠　論夏宇詩中的修辭策略及女性書寫
台灣詩學學刊　第 3 期　頁 153－188　1994 年 6 月

1694　丁旭輝　詩藝論：徐志摩新詩形式美的構成手法及其表現
徐志摩新詩研究　第三章　頁 79－184　國立台灣師範大學國文研究所碩士論文　1994 年　楊昌年指導
徐志摩的詩情與詩藝　第三章　頁 81－186　台北　文津出版社　2001 年 2 月初版

1695　曾進豐　周夢蝶詩之藝術手法
周夢蝶詩研究　第六章　頁 153－206　國立台灣師範大學國文研究所碩士論文　1996 年　楊昌年指導
周夢蝶詩研究　第六章　頁 191－266（總 1025－1100）　國立台灣師範大學國文研究所集刊　四十一號　1997 年 6 月

1696 蔡英鳳 吳晟詩「向孩子說」在語言要素上之修辭研究
問學集 9集 頁98－116 1999年6月

1697 江聰平 鄭愁予詩的修辭藝術
修辭論叢 第一輯 頁365－395 中國修辭學會、台灣師大國文系編 台北 洪葉文化事業公司 1999年8月初版

1698 林孟萱 洛夫詩的句式特色
洛夫詩的用字及句式特色 第四章 頁45－102 國立清華大學語言學研究所碩士論文 2000年 曹逢甫指導

1699 徐麗霞 莫那能詩歌的表現特色
修辭論叢 第二輯 頁759－780 中國修辭學會、高雄師大國文系編 台北 洪葉文化事業公司 2000年7月初版

1700 丁威仁 九〇年代台灣現代詩都市主題的多向變奏
修辭論叢 第二輯 頁11－47 中國修辭學會、高雄師大國文系編 台北 洪葉文化事業公司 2000年7月初版

1701 黃文車 黃石輝之漢詩創作——修辭手法
黃石輝研究 第五章第二節 頁220—227 國立中正大學中國文學研究所碩士論文 2001年 陳益源指導

1702 劉志明 從「單位元」概念看周夢蝶〈孤獨國〉的修辭
修辭論叢 第三輯 頁410－437 銘傳大學應用中文系所、中國修辭學會、中國語文學會編 台北 洪葉文化事業公司 2001年6月初版

1703 許育嘉 賴和漢詩修辭美學研究
南華大學文學系碩士班碩士論文 2003年 沈謙指導

1704 江慧娟 非馬詩歌之藝術方法——修辭技巧之靈活應用
非馬及其現代詩研究 第六章第二節 頁225－240 國立高雄師範大學國文學系碩士論文 2003年 林文欽指導

1705 秦素娥 現代詩的鑑賞教學——從修辭技巧的鑑賞來教學
現代詩教學研究 第二章第四節 頁76－129 國立高雄師範大學國文教學碩士班碩士論文 2003年 陳宏銘指導

1706 蘇娟巧 賴和漢詩意象的藝術表現
賴和漢詩意象研究 第四章 頁97－132 國立彰化師範大學國

文學系在職進修專班碩士論文　2003 年　周益忠指導

1707　吳叔樺　羅門「麥堅利堡」之修辭藝術
中國語文　93 卷 1 期（總 553）　頁 79－85　2003 年 7 月

1708　鄭智仁　陳黎新詩的語言策略
苦惱與自由的平均律——陳黎新詩美學研究　第三章　頁 26－73
國立中山大學中國文學研究所碩士論文　2003 年　楊雅惠指導

1709　曾香綾　余光中詩研究——字句修辭藝術
余光中詩研究　第六章　頁 250－308　國立台灣師範大學國文系在職進修碩士班碩士論文　2004 年　蔡宗陽指導

1710　蔡豔紅　覃子豪詩藝研究——修辭技巧
覃子豪詩藝研究　第六章第一節　頁 33－163　國立高雄師範大學國文教學碩士班碩士論文　2004 年　江聰平指導

1711　張加佳　馮至《十四行集》之修辭藝術
馮至《十四行集》研究　第五章　頁 134－156　東吳大學中國文學系碩士論文　2004 年　沈謙指導

1712　吳欣蓉　徐志摩新詩的審美特徵
徐志摩新詩美學研究　第五章　頁 227－284　台北市立師範學院應用語言文學研究所碩士論文　2004 年　江惜美指導

1713　李翠瑛　雪月與燈之悟——洛夫〈金龍禪寺〉一詩的修辭及意象
翰林文苑天地　27 期　2004 年 5 月 1－3 版

1714　劉正偉　《海洋詩抄》修辭技巧探究
覃子豪詩研究　第六章　頁 97－115　台北　文史哲出版社　2005 年 3 月初版

3. 現代散文與修辭

（1）綜論

1715　林　良　談白話文的修辭
中國語文　32 卷 2 期（總 188）　頁 4－9　1973 年 2 月

1716　張春榮　現代散文的鍊字
修辭萬花筒　頁 119－140　台北　駱駝出版社　1996年9月初版

1717　洪富連　主題散文的美學研究——散文的修辭美

當代主題散文研究　頁75－93　高雄　復文圖書出版社　1998年4月初版

（2）作家及作品論

【朱自清及其文】

1718　方師鐸　詳析「匆匆」的語法與修辭
台北　台灣學生書局　1983年4月初版

1719　闕世榴／黃慶萱校訂　試論朱自清先生〈匆匆〉的修辭
國文天地　1卷9期（總9）　頁82－83　1986年2月

1720　許琇禎　朱自清的散文藝術
朱自清及其散文　第五章　頁139－188　國立台灣師範大學國文研究所碩士論文　1990年　王更生指導

1721　王鴻卿　朱自清〈背影〉的修辭技巧
東吳中文研究集刊　4期　頁51－63　1997年5月
和平學報　1期　頁13－25　1998年11月

1722　王鴻卿　也談朱自清〈匆匆〉的修辭技巧
和平學報　2期　頁15－24　1999年11月

1723　何永清　朱自清〈綠〉的修辭析賞
中國語文　94卷2期（總560）　頁89－95　2004年2月

1724　何永清　〈荷塘月色〉的譬喻修辭賞析
中國語文　96卷4期（總574）　頁43－47　2005年4月

【梁實秋及其文】

1725　沈　謙　雅舍小品的修辭藝術
中央日報　1984年1月24－25日
中國語文　54卷3期（總321）　頁4－11　1984年3月
散文季刊　創刊號　頁113－120　1984年1月
七十三年文學批評選　台北　爾雅出版社　頁201－216　1985年3月初版

1726　劉　圓　玲瓏愛纖姿——梁實秋〈鳥〉的修辭技巧
國文天地　2卷6期（總18）　頁88－91　1986年11月

1727　陳室如　簡單的豐富美──論梁實秋《雅舍小品》的語言藝術
雅舍的春華秋實──梁實秋學術研討會論文集　頁 51－76　台北　九歌出版社　2002 年 12 月初版
文爲心聲──現代散文評論集　頁 256－296　彰化縣文化局編　2003 年 9 月初版

1728　蔡宗陽　《雅舍小品》的修辭藝術
雅舍的春華秋實──梁實秋學術研討會論文集　頁 241－255　台北　九歌出版社　2002 年 12 月初版

1729　劉信足　《雅舍小品》修辭藝術探究
梁實秋《雅舍小品》研究　第四章　頁 72－117　南華大學文學研究所碩士論文　2004 年　陳章錫指導

1730　王莉莉　梁實秋〈下棋〉的修辭探究
中國語文　97 卷 2 期（總 578）　頁 90－99　2005 年 8 月

【余秋雨及其文】

1731　廖麗鳳　論余秋雨《山居筆記》之修辭藝術
華夏學報　32 期頁 13685－13710　1997 年 10 月

1732　何永清　《文化苦旅》的修辭手法
修辭論叢　第一輯　頁 243－263　中國修辭學會、台灣師大國文系編　台北　洪葉文化事業公司　1999 年 8 月初版

1733　陳秉貞　余秋雨散文形式探討
余秋雨散文研究　第五章　頁 258－311　國立台灣師範大學國文研究所碩士論文　2001 年　黃慶萱指導

1734　何修仁　從西方矯飾主義美學談余秋雨的散文修辭風格
修辭論叢　第五輯　頁 379－403　中國修辭學會、台灣師大國文系編　台北　洪葉文化事業公司　2003 年 11 月初版

【其他文家作品】

1735　林武憲　小太陽的修辭技巧
中國語文　33 卷 4 期（總 196）　頁 26－33　1973 年 10 月

1736　魏靖峰　「我所知道的康橋」作法與修辭

中國語文　54 卷 6 期（總 324）　頁 59－60＋91　1984 年 6 月

1737　鄭雪花　「七姑姑」的美──〈火鷓鴣鳥〉的修辭技巧

國文天地　1 卷 7 期（總 7）　頁 79－81　1985 年 12 月

1738　陳振忠　談〈我所知道的康橋〉的修辭

國文天地　1 卷 10 期（總 10）　頁 86－88　1986 年 3 月

1739　何永清　談《生之歌》的修辭法

中國語文　73 卷 6 期（總 438）　頁 24－30　1993 年 12 月

1740　江奇龍　楊牧《一首詩的完成》的幾種修辭格

國文天地　9 卷 10 期（總 106）　頁 29－35　1994 年 3 月

1741　曾心怡　從修辭角度看席慕蓉《寫給幸福》

國文天地　9 卷 11 期（總 107）　頁 38－45　1994 年 4 月

1742　劉韻蘋　從修辭格看張曉風《從你美麗的流域》

人文及社會科教學通訊　4 卷 6 期　頁 103－120　1994 年 4 月

1743　鄭芳郁　張曉風《步下紅毯之後》的四種修辭格試探

國文天地　9 卷 12 期（總 108）　頁 66－75　1994 年 5 月

1744　何永清　〈哲學家皇帝〉修辭賞析

中國語文　79 卷 5 期（總 473 期）　頁 90－93　1996 年 11 月

修辭漫談　頁 167－171　台北　台灣商務印書館　2000 年 4 月初版

1745　何永清　《小太陽》的修辭藝術（上）

中國語文　84 卷 6 期（總 504）　頁 53－56　1999 年 6 月

1746　何永清　《小太陽》的修辭藝術（下）

中國語文　85 卷 1 期（總 505）　頁 39－44　1999 年 7 月

1747　黃麗貞　餘霞炫錦勉斜陽──吳東權銀髮文學的修辭技巧

修辭論叢　第一輯　頁 15－34　中國修辭學會、台灣師大國文系編　台北　洪葉文化事業公司　1999 年 8 月初版

1748　張君慧　蘇雪林散文的修辭藝術

中國現代文學理論　15 期　頁 463－479　1999 年 9 月

1749　何永清　《小太陽》的修辭

修辭漫談　頁 136－147　台北　台灣商務印書館　2000 年 4 月初版

1750　何永清　《平屋雜文》的修辭

修辭漫談　頁 118－135　台北　台灣商務印書館　2000 年 4 月初版

1751　何永清　《生之歌》的修辭
修辭漫談　頁148－155　台北　台灣商務印書館　2000年4月初版

1752　何永清　《靜思語錄》的修辭美
修辭漫談　頁156－159　台北　台灣商務印書館　2000年4月初版

1753　柴春華　冰心散文語言的咀嚼韻味
修辭論叢　第二輯　頁407－430　中國修辭學會、高雄師大國文系編　台北　洪葉文化事業公司　2000年7月初版

1754　何永清　冰心「寄小讀者」修辭探析
中國語文　87卷2期（總518）　頁60－65　2000年8月

1755　蔡嘉惠　徐志摩抒情散文的修辭分析
徐志摩抒情散文研究　第四章　頁101－125　國立暨南國際大學中國語文學系碩士論文　2001年　周昌龍指導

1756　王昌煥　夏丏尊《生活的藝術》的修辭策略
國文天地　17卷2期　頁77－81　2001年7月

1757　李翠瑛　余光中《白玉苦瓜》的修辭技巧
明道文藝　305期　頁63－69　2001年8月

1758　陳雙景　鍾理和作品的修辭技巧
文藻學報　16期　頁297－310　2002年5月

1759　何永清　陳之藩散文的修辭藝術
修辭論叢　第五輯　頁154－192　中國修辭學會、台灣師大國文系編　台北　洪葉文化事業公司　2003年11月初版

1760　張俐雯　豐子愷時序散文的修辭藝術
修辭論叢　第五輯　頁691－705　中國修辭學會、台灣師大國文系編　台北　洪葉文化事業公司　2003年11月初版

1761　劉淑惠　余光中散文新探——藝術經營
現代散文風貌研究——余光中散文新探　第五章　頁85－113　國立台灣師範大學國文系在職進修碩士班碩士論文　2004年　楊昌年指導

1762　丁幸達　王鼎鈞及其散文研究——散文藝術研究
王鼎鈞及其散文研究　第四章　頁122－172　台北市立師範學院應用語言文學研究所碩士論文　2004年　馮永敏指導

1763　何永清　劉白如先生散文的修辭藝術
中國語文　95卷1期（總565）　頁23－31　2004年7月

1764　何永清　從《精緻的年代》看張繼高先生散文的修辭
修辭論叢　第六輯　頁414－441　中國修辭學會、玄奘大學中文系編　台北　洪葉文化事業公司　2004年11月初版

1765　張美足　論龍應台知性散文的書寫策略
華岡文科學報　27期　頁103－146　2005年5月

4. 現代小說與修辭

（1）綜論

1766　張大春　站在語言的遺體上——一則小說的修辭學
聯合文學　13卷5期（總149）　頁22－26　1997年3月

1767　張春榮　「極短篇探索」：極短篇的修辭手法
明道文藝　282期　頁31－37　1999年9月

（2）作家及作品論

1768　歐陽子　白先勇著「台北人」研析——「那片血一般紅的杜鵑花」裏的隱喻與象徵
中國時報　1975年7月6－7日12版

1769　唐瓊仙　「謫仙記」裏的明喻和象徵
文風　33期　頁109－110　1978年6月

1770　鍾正道　從譬喻與示現論張愛玲《流言》裡的想像
古今藝文　22卷4期　頁8－15　1996年8月

1771　侯淑娟　《白鹿原》之創作及其修辭藝術特質
永達工商專學報　10期　頁105－124　1997年7月

1772　汪淑珍　林海音小說敘事技巧研究——修辭技巧運用
林海音小說敘事技巧研究　第五章　頁 129－146　東吳大學中國文學研究所碩士論文　1999年　彭小妍指導

1773　蔡佳瑩　凌叔華小說藝術手法研究——修辭技巧的巧用
凌叔華小說藝術手法研究　第五章　頁 119－146　東吳大學中國文學研究所碩士論文　2000年　沈謙指導

1774　譚惠文　王禎和〈美人圖〉之修辭分析
中國現代文學理論　17 期　頁 133－160　2000 年 3 月

1775　賴亭融、陳雪芳　林海音「城南舊事」的寫作技巧探討
中國現代文學理論　18 期　頁 177－195　2000 年 6 月

1776　劉昭仁　賴和的文學世界
修辭論叢　第三輯　頁 823－872　銘傳大學應用中文系所、中國修辭學會、中國語文學會編　台北　洪葉文化事業公司　2001 年 6 月初版

1777　徐麗霞　從色彩修辭解讀張愛玲〈金鎖記〉
修辭論叢　第三輯　頁 682－716　銘傳大學應用中文系所、中國修辭學會、中國語文學會編　台北　洪葉文化事業公司　2001 年 6 月初版

1778　林欣薇　說故事的高手：小說藝術特色
存在與想像——蘇童小說研究　第六章　頁 135－176　國立彰化師範大學國文學系碩士論文　2001 年　王年雙指導

1779　蔡雅薰　台灣旅美作家書信體小說及修辭技巧舉隅
修辭論叢　第三輯　頁 295－331　銘傳大學應用中文系所、中國修辭學會、中國語文學會編　台北　洪葉文化事業公司　2001 年 6 月初版

1780　陳建忠　大東亞黎明前的羅曼史——吳漫沙小說中的愛情與戰爭修辭
台灣文學學報　3 期　頁 109－141　2002 年 12 月

1781　汪淑珍　林海音小說修辭技巧探微
國文教學學術研討會論文集　頁 161－181　親民工商專科學校國文組主編　台北　萬卷樓圖書公司　2003 年 1 月初版

1782　章正忠　王禎和「玫瑰玫瑰我愛你」的語言藝術
中國語文　92 卷 4 期（總 550）　頁 67－78　2003 年 4 月

1783　蔡素華　《圍城》譬喻修辭探究
玄奘人文社會學院中國語文研究所碩士論文　2003 年　沈謙指導

1784　賴慧如　鍾理和作品中對貪與病的描繪——從修辭法的角度探討鍾理和作品中的貪與病
現實與文學的糾纏——談鍾理和的貪與病　第三章第二節　頁

42－51　國立台灣師範大學國文研究所教學碩士班碩士論文 2003年　許俊雅指導

1785　黃文倩　從出走到走出——論白先勇「孽子」的結構與語言藝術
東方人文學誌　3卷1期　頁201－213　2004年3月

1786　趙惠芬　林海音小說中的創作風格——小說中美學的創作技巧
林海音小說中的美學技巧研究　頁181－188　銘傳大學應用中國文學研究所在職專班碩士論文　2004年　江惜美指導

1787　王盈潔　從修辭格探討張愛玲短篇小說中的「雨」
騫翮青雲——玄奘大學中國語文研究所第一屆校友研討會論文集　頁21－30　玄奘大學中國語文研究所編　2004年6月

1788　蔡雅薰　獨語與對話的複音合唱——黃娟移民小說語言新詮
修辭論叢　第六輯　頁461－480　中國修辭學會、玄奘大學中文系編　台北　洪葉文化事業公司　2004年11月初版

1789　闕瀅芬　吉錚小說之修辭
吉錚小說研究　第五章　頁123－149　東吳大學中國文學系碩士論文　2004年　沈謙指導

1790　鄭明娳　論〈上海的狐步舞〉的形式藝術
修辭論叢　第六輯　頁536－547　中國修辭學會、玄奘大學中文系編　台北　洪葉文化事業公司　2004年11月初版

1791　林慶文　非愚即狂——當代小說的瘋癲修辭
北臺國文學報　2期　頁169－198　2005年6月

1792　賴松輝　歷史事實？小說虛構？——論李喬《埋冤・一九四七・埋冤》的歷史修辭
華醫社會人文學報　11卷　頁43－56　2005年6月

1793　王靖丰　七等生小說中的特異修辭
文學前瞻：南華大學文學所研究生學刊　6期　頁57－72　2005年7月

5. 武俠小說與修辭

1794　吳明麟　《天龍八部》美學研究——語言魅力與藝術手法
《天龍八部》美學研究　第四章　頁93－102　國立政治大學中國

文學研究所碩士論文　2003 年　羅宗濤指導

1795　胡仲權　論《絕世雙嬌》的修辭藝術
淡江大學第九屆文學與美學國際學術研討會論文　2005 年 6 月 4－5 日
傲世鬼才——古龍（古龍與武俠小說國際研討會論文集）　頁 251－273　林保淳編　台北　台灣學生書局　2006 年 2 月初版

6. 兒童文學與修辭

（1）綜論

1796　杜淑貞　兒童文學與現代修辭學
台北　富春出版社　1991 年初版、1994 年 10 月二版

1797　杜淑貞　林良淺語的修辭藝術——以散文、童詩、童話、少年小說爲例
台中市國語文研究學會會議論文　2002 年

（2）童詩

1798　羊　我　兒童詩創作技巧探討——比喻法
中國語文　53 卷 4 期（總 316）　頁 72－75　1983 年 10 月

1799　羊　我　兒童詩創作技巧探討——誇張法、對比法、重複法
中國語文　54 卷 3 期（總 321）　頁 64－68　1984 年 3 月

1800　柳拂隄　從語法修辭觀點發掘童詩問題
中國語文　58 卷 1 期（總 343）　頁 67－83　1986 年 1 月

1801　司馬正　進一步的探究——看柳拂隄〈從語法修辭觀點發掘童詩問題〉
中國語文　58 卷 3 期（總 345）　頁 77－79＋83　1986 年 3 月

1802　蔡勝德　類疊和排比在童詩中的運用
教師之友　33 卷 3 期　頁 55－58　1992 年 6 月

1803　杜淑貞　平淡天真的童趣與詩味——以九首童詩的藝術手法爲例
國教園地　47 期　頁 52－57　1993 年 10 月

1804　劉麗娟　具體、抽象和比喻法在童詩教學中的運用
國文天地　9 卷 10 期（總 106）　頁 36－41　1994 年 3 月

1805　陳正治　兒童詩情意的表現手法——修辭技巧與詩句形式
兒童詩寫作研究　第五章第二節　頁 225－249　台北　五南圖書

出版公司　1995年5月初版、2002年6月二版

1806　王派仁　用對照性思考與印襯修辭寫童詩
中央日報　1997年8月17日13版

1807　梁欽隆　童詩修辭研究──以彰化縣1999－2002年童詩童畫徵選之童詩得獎作品爲例
國立台中師範學院語文教育學系碩士班碩士論文　2003年　魏聰祺指導

1808　宋伊霈　楊喚童詩的形式探討──楊喚童詩之修辭分析
楊喚童詩研究　第五章第四節　頁156－171　東吳大學中國文學研究所碩士論文　2004年　沈謙指導

1809　吳純玲　國小童詩教材與童詩創作之修辭研究
國立新竹教育大學語文教學碩士班碩士論文　2005年　黃陶陶指導

1810　郭宗烈　修辭技巧融入童詩教學之可行性研究──以五年級爲例
國立屏東師範學院教育行政研究所碩士論文　2006年　鍾屏蘭指導

（3）兒歌、童謠

1811　王幸華　台灣閩南語童謠形式探討
首屆台灣民間文學學術研討會論文集　頁148－210　台灣磺溪文化學會　1997年6月

1812　張娣明　台灣70年代流行國語兒歌的修辭藝術
台灣風物　51卷1期　頁55－77　2001年3月

1813　張娣明　兒歌的修辭藝術與教育功能──以台灣七〇年代流行國語兒歌爲例
台灣人文（台灣師大）　6期　頁315－348　2001年12月

七、

寫作與修辭

1814　蔣建文　從作文原則談作文方法——實用修辭學
台北　台灣商務印書館　1967 年 4 月初版

1815　鄭發明　用修辭學作文　台北　作文書局　1980 年 4 月初版
台北　青少年出版社　1985 年 10 月二版
台北　螢火蟲出版社　1998 年 7 月初版

*2154 張春榮　觀念的整合與開拓——鄭發明《用修辭學作文》
文訊　175 期　頁 22－23　2000 年 5 月

1816　陳東和　國小作文與修辭指導
台南　光田出版社　1991 年 3 月初版

1817　布裕民、陳漢森　寫作語法修辭手冊
台北　書林出版社　1993 年 3 月一版（原由香港中華書局出版）

1818　李得雄　怎樣鍛鍊作文的修辭
台南　西北出版社　1995 年 7 月初版

1819　蔡淑瑛　妙用作文修辭
台北　人類文化事業公司　1995 年

1820　鄭同元、鄭博真　作文修辭指導
台南　漢風出版社　1997 年初版

*2153 張春榮　運用之妙——評鄭同元、鄭博真《作文修辭指導》
中央月刊文訊別冊　10 期　頁 22－23　1998 年 4 月

1821　顏福南　小小作文高手
台北　文經出版社　1998 年 11 月一版

1822　唐文德　作文的剪裁修辭
中國語文　19 卷 5 期（總 113）　頁 44－45　1966 年 11 月

1823　蔣建文　論實用修辭學

從作文原則談作文方法——實用修辭學　頁 181－193　台北　台灣商務印書館 1967 年 4 月初版

1824　蔣建文　修辭學上統一、聯貫、語勢三項原則的形成
從作文原則談作文方法——實用修辭學　頁 194－203　台北　台灣商務印書館　1967 年 4 月初版
東方雜誌　9 卷 3 期　頁 49－51　1975 年 9 月

1825　徐仲玉　論修改
修辭學論叢　頁 65－95　台北　樂天出版社　1970 年 5 月初版

1826　黃基博　詞句重疊、誇張——小學作文教學
中國語文　31 卷 6 期（總 186）　頁 90－92　1972 年 12 月

1827　蔡宗陽　作文的修辭
文燈——文章作法講話　頁 66－69　台北　國語日報社　1977 年 11 月 1 版

1828　郭靜嫻　引喻的工夫
如何教作文　頁 36－58　台北　國立台灣師範大學中等教育輔導委員會編　1985 年 3 月初版

1829　德　仁　以修辭提高學生的語文能力
中國語文　58 卷 1 期（總 343）　頁 46＋61　1986 年 1 月

1830　杜淑貞　國小作文教學探究之三：以修辭學來引導作文
國教園地　24 期　頁 33－38　1988 年 1 月

1831　黃春榮　彩色世界——談修辭
作文方法與範例　台北　漢彝文化出版事業　頁 97－102　1989 年 5 月二版

1832　黃春榮　妹妹是頭發威的獅子——談修辭
作文方法與範例　台北　漢彝文化出版事業　頁 103－107　1989 年 5 月二版

1833　林覺中　文章的修飾
文章礎石及其他　頁 79－83　台北　文津出版社　1990 年 11 月初版

1834　蔡宗陽　從修辭談造句和作文
人文及社會學科教學通訊　1 卷 3 期　頁 97－105　1990 年 10 月

1835　張定遠、程漢杰　學點修辭增文采
中學生作文例話　頁 155－158　台北　國文天地　1991 年 11 月初版

1836　曾忠華　作文總論——修辭技巧
作文津梁（上）　頁 69－131　台北　學人文教出版社　1993 年 5 月最新版

1837　黃慶萱　作文與修辭
中央日報　中學國語文專刊　104 期　1993 年 3 月 11 日
學林尋幽——見南山居論學集　頁 307－310　台北　東大圖書公司　1995 年 3 月初版
修辭通訊　第 1 期　頁 25－26　1999 年 6 月

1838　張成秋　修辭開門：教學童寫更生動的作文
國教世紀　29 卷 3 期　頁 42－44　1993 年 12 月

1839　梁桂珍　怎樣修辭
怎樣寫出生動的文章——中學生作文　頁 87－98　台北　東大圖書公司　1994 年 9 月初版

1840　陳滿銘　措辭
作文教學指導　頁 249－318　台北　萬卷樓圖書公司　1994 年 10 月初版

1841　王忠林　寫作與修辭
第一屆台灣區國語文教學學術研討會論文集　頁 1－9　高雄　國立高雄師範大學國文系　1995 年

1842　劉玉琛　談修辭
作文的方法　頁 107－112　台北　學生出版社　1996 年 8 月修訂版

1843　楊鴻銘　修辭與作文
中國語文　79 卷 3 期（總 471）　頁 61－63　1996 年 9 月

1844　莊銀珠　文章中必須具備摹寫、譬喻、排比、引用、舉例、故事等其中三項以上之寫作練習
國中作文教學設計活路——國三篇　第貳部分第六單元　頁 50－55　高雄　復文圖書出版社　1997 年 5 月初版

1845　黃肇基　「他山之石」——從「讓生命更豐美」談作文立意、取材、修辭

明道文藝　259 期　頁 179－186　1997 年 10 月

1846　張清榮　修辭的重要
巧思妙手織錦文（上）──各體文章寫作指導　頁 122－125　國立台灣師範大學人文教育研究中心主編　台北　幼獅文化事業公司　1997 年 10 月初版

1847　張清榮　談用詞的變換
巧思妙手織錦文（上）──各體文章寫作指導　頁 158－160　國立台灣師範大學人文教育研究中心主編　台北　幼獅文化事業公司　1997 年 10 月初版

1848　蔡宗陽　修辭理論與作文教學
人文及社會學科教學通訊　9 卷 3 期　頁 52－62　1998 年 10 月

1849　蔡宗陽　修辭與作文教學
台灣省高級中學國文科教學研究專輯　第四輯　頁 156－166　台灣省政府教育廳　1998 年 6 月
修辭論叢　第二輯　頁 301－315　中國修辭學會、高雄師大國文系編　台北　洪葉文化事業公司　2000 年 7 月初版

1850　吳　當　瑞士錶與鬱金香花園──文句修飾的藝術
遊山玩水好作文　頁 181－200　台北　爾雅出版社　1999 年 3 月

1851　邱燮友等　摛錦錯繡有秘方──遣詞造句技巧
作文階梯　卷三　頁 173－309　台北　三民書局　1999 年 10 月初版

1852　江惜美　作文答問──技巧篇
作文答問　（三）　頁 61－85　台北　師大書苑　2000 年 9 月初版

1853　張春榮　寫作塑身坊──修辭的四大規律──以新編高中國文課本爲例(上)
幼獅文藝　574 期　頁 21－24　2001 年 10 月

1854　張春榮　寫作塑身坊──修辭的四大規律──以新編高中國文課本爲例(下)
幼獅文藝　575 期　頁 47－49　2001 年 11 月

1855　張春榮　喻寫題型：以「父母」「子女」爲例
明道文藝　319 期　頁 184－193　2002 年 10 月

1856　張春榮　喻寫與創作
明道文藝　320 期　頁 183－193　2002 年 11 月

1857　張春榮　喻寫題型
國文天地　18卷7期（總211）　頁102－106　2002年12月

1858　張春榮　辭格仿寫題型
明道文藝　325期　頁179－181　2003年4月

1859　林美琴　文字化妝師——鍛字與修辭
上作文課了——作文教學妙招大公開　第二篇第三章　頁102－111　台北　天衛文化公司　2004年4月初版

1860　仇小屏　「限制式寫作」題組之設計與實作：鎖定修辭能力（移覺格、倒反格）
國文天地　19卷12期（總228）　頁74－82　2004年5月

1861　張春榮　喻寫與創思
國中國文修辭教學　頁49－60　台北　萬卷樓圖書公司　2005年4月初版

1862　張佑銘　中文自動作文修辭評分系統設計
國立交通大學資訊科學研究所碩士論文　2005年　李嘉晃指導

1863　鍾文宏　比喻寫作在國小高年級作文教學之研究
國立台北師範學院課程與教學研究所碩士論文　2005年　張春榮指導

1864　張婉玲　作文教學基礎篇：修辭教學
資訊融入國文科教學行動研究　第四章　頁43－90　國立彰化師範大學國文研究所碩士論文　2005年　王年雙指導

1865　常雅珍　修辭技巧篇
創意作文新秘笈　第四篇　頁31－85　台北　心理出版社　2005年12月

1866　蔡宗陽總編審、焦紀雲　王國海編輯　文章的修辭
實用作文辭典　頁477－483　台北　人類文化事業公司　2006年6月初版

八、文學創作思維與修辭

1867　方師鐸　聯想與文學創作之關係兼論語感、譬喻與象徵
東海學報　22期　頁119－130　1981年6月

1868　羅肇錦　兩分修辭的應用——談修辭技巧之六
國教世紀　22卷1期　頁12－14　1986年8月
言與思　參・修辭篇　頁138－144　台北　萬卷樓圖書公司
1994年12月初版

1869　張春榮　才下眉頭，卻上心頭——情景相對
明道文藝　167期　頁30－32　1990年2月
修辭散步　頁235－243　台北　東大圖書公司　1991年9月初版

1870　張春榮　苔痕上階綠，草色入簾青——描繪
明道文藝　169期　頁37－39　1990年4月
修辭散步　頁29－50　台北　東大圖書公司　1991年9月初版

1871　張春榮　野渡無人舟自橫——反身性
明道文藝　172期　頁14－16　1990年7月
修辭散步　頁253－261　台北　東大圖書公司　1991年9月初版

1872　張春榮　剪不斷，理還亂，是離愁——虛實
明道文藝　176期　頁32－35　1990年11月
修辭散步　頁1－27　台北　東大圖書公司　1991年9月初版

1873　張春榮　朝如青絲暮成雪——談壓縮
明道文藝　178期　頁53－56　1991年1月
修辭萬花筒　頁51－56　台北　駱駝出版社　1996年9月初版

1874　張春榮　材不材間過此生——談二分法
明道文藝　186期　頁16－21　1991年9月

1875　張春榮　鎔成——從古典到現代

修辭散步　頁 221－234　台北　東大圖書公司　1991 年 9 月初版

1876　張春榮　虛實觀念在修辭中的運用
八十學年度師範學院教育學術論文發表會論文集　頁 1271－1277　國立台中師範學院　1992 年 6 月

1877　張春榮　山是凝固的波浪──相對的聯想
一把文學的梯子　頁 105－118　台北　爾雅出版社　1993 年 7 月初版

1878　張春榮　二分法與修辭
國文天地　9 卷 7 期（總 103）　頁 96－100　1993 年 12 月

1879　張春榮　轉折與修辭
國文天地　9 卷 10 期（總 106）　頁 20－25　1994 年 3 月

1880　楊石成　聯想與修辭
國語日報　1994 年 9 月 29 日 13 版

1881　張春榮　他一生缺錢，但他沒缺過笑聲─談轉折
修辭行旅　台北　東大圖書公司　頁 33－50　1996 年 1 月初版

1882　張春榮　知足者仙境，不知足者凡境──談二分法
修辭行旅　頁 1－32　台北　東大圖書公司　1996 年 1 月初版

1883　張春榮　水中藻荇交横，蓋竹柏影也──談錯覺
修辭行旅　頁 251－263　台北　東大圖書公司　1996 年 1 月初版

1884　張春榮　用淚水沖洗眼裡的山河──談由景入情的結構
修辭萬花筒　頁 3－9　台北　駱駝出版社　1996 年 9 月初版

1885　張春榮　頻頻以影子扣窗──談構思
修辭萬花筒　頁 10－15　台北　駱駝出版社　1996 年 9 月初版

1886　張春榮　暗示藝術──借代、借喻、象徵
修辭新思維　頁 79－91　台北　萬卷樓圖書公司　2001 年 9 月初版

1887　張春榮　天才的標幟──想像力的開發
修辭新思維　頁 135－146　台北　萬卷樓圖書公司　2001 年 9 月初版

1888　張春榮　修辭與相關聯想
修辭論叢　第五輯　頁 810－838　中國修辭學會、台灣師大國文系編　台北　洪葉文化事業公司　2003 年 11 月初版

九、語文教學、華語文教學與修辭

㈠綜論

1889　蔡宗陽　修辭學在華語文教學上的運用（上）
中國語文　74卷2期（總440）　頁26－35　1994年2月

1890　蔡宗陽　修辭學在華語文教學上的運用（下）
中國語文　74卷3期（總441）　頁28－35　1994年3月

1891　王萬清　文字學與修辭學在閱讀教學上之運用
國語科教學理論與實際　頁51－70　台北　師大書苑　1997年3月初版

1892　曹春桂　王陽明《傳習錄》之教學語言藝術──從《傳習錄》看王陽明之語言修辭技巧
王陽明《傳習錄》教學語言藝術之研究　第五章第四節　頁199－222　國立高雄師範大學國文教學碩士班碩士論文　2002年　蔡根祥指導

1893　黃麗貞　修辭教學點、線、面
實用修辭學　附錄三　頁563－577　台北　國家出版社　1999年3月初版　2004年3月增訂初版

㈡小學語文教學與修辭

1894　王家珍　修辭學習單
台北　螢火蟲出版社　2000年

1895　王家珍　快快樂樂學修辭
台北　螢火蟲出版社　2000年

1896　王派仁　過五關學修辭
台北　螢火蟲出版社　2000 年

1897　徐玉舒、謝綉華　趣味修辭考典
台北　螢火蟲出版社　2004 年

1898　鄭富美　我怎樣訓練兒童「修辭」
中國語文　29 卷 2 期（總 170）　頁 32－33　1971 年 8 月

1899　馮俊明　指導修辭
中國語文　52 卷 3 期（總 309）　頁 42－43　1983 年 3 月

1900　杜　萱　修辭學的應用與推廣——兼論小學生的修辭經驗
中國語文　58 卷 6 期（總 348）　頁 68－78　1986 年 6 月

1901　何永清　國小中年級作文修辭教學之探討
人文及社會學科教學通訊　2 卷 2 期　頁 67－72　1991 年 8 月

1902　李慶章　文章的化妝藝術——國小國語課文修辭探討
國教之友　47 卷 3 期　頁 24－29　1995 年 12 月

1903　陳香如　國小國語課本中的修辭方式
語文教育通訊　13 期　頁 54－68　1996 年 12 月

1904　陳香如　國小國語科教科書之修辭方式分析
國立編譯館館刊　26 卷 1 期　頁 291－322　1997 年 6 月

1905　陳香如　國小六年級兒童作文之修辭技巧分析——以嘉義地區爲例
國立嘉義師範學院國民教育研究所碩士論文　1998 年　游淑燕指導

1906　王家珍　讀寫結合的修辭教學對國小兒童寫作修辭能力之影響
國立花蓮師範學院國民教育研究所碩士論文　1999 年　許學仁指導

1907　陳宇詮　引導兒童作文教學之探究：自修辭的角度切入
國立台北師範學院課程與教學研究所碩士論文　2001 年　張春榮指導

1908　林芳如　國小一年級國語科教科書修辭格之研究
國立屏東師範學院國民教育研究所碩士論文　2003 年　羅瑞玉、陸又新指導

1909　陳明發　國小五年級讀寫結合修辭技巧合作學習教學方案之行動研究
國立台中師範學院語文教育學系碩士班碩士論文　2003 年　魏聰祺指導

1910 楊淑雅 國小高年級國語教科書之修辭探究
國立嘉義大學國民教育研究所碩士論文 2003 年 康世昌指導

1911 陳志哲 修辭巧妙──林良兒童文學理念在語文教材形式上之呈現
林良的兒童文學理念在小學語文教材上的運用 第六章第二節 頁 90－111 國立花蓮師範學院語文教學碩士班碩士論文 2003 年 羅秋昭指導

1912 劉紹廷 一位小學教師實施合作學習歷程之研究──以修辭、句型爲例
國立台北師範學院課程與教學研究所碩士論文 2004 年 張春榮指導

1913 陳招池 國語修辭教學程序性知識習得之研究
國立新竹師範學院台灣語言與語文教育研究所碩士論文 2004 年 黃陶陶指導

1914 王雨利 國小三年級國語科修辭教學之研究
國立高雄師範大學國文教學碩士班碩士論文 2005 年 陳宏銘指導

1915 張志瑋 九年一貫課程中國民小學低年級語文領域本國語文審定本修辭方式之比較研究
國立新竹師範學院語文教學碩士班碩士論文 2005 年 簡翠貞指導

1916 林洪正 國語教科書詩歌體範文之修辭探究──以九年一貫第一階段爲例
國立台中師範學院語文教育學系碩士論文 2005 年 魏聰祺指導

1917 張小芬 國小四年級國語教科書修辭分析之研究
國立高雄師範大學國文教學碩士班碩士論文 2005 年 陳宏銘指導

1918 高敏麗 國小閱讀教學中的鑑賞教學──以修辭教學爲例
從九年一貫課程綱要國語文能力指標探討國小國語文閱讀教學 國立新竹教育大學台灣語言與語文教育研究所語文教學碩士班碩士論文 第八章 頁 131－153 2005 年 洪月女指導

1919 薛淑貞 複音詞在修辭上的作用及詞義辨析
國小國語課本複音詞之研究：以南一（92 年）版四年級課本爲例 第五章 頁 77－125 國立花蓮師範學院語文科教學碩士班碩士論文 2005 年 游子宜指導

1920 陳世杰 國民小學國語課本中名詞語法與修辭之探究──以康軒版本爲例
國立花蓮師範學院語文科教學碩士班碩士論文 2006 年 游子

宜指導

1921 張瓊華 國語教科書詩歌體範文之修辭研究——以九年一貫第二階段之童詩爲例
國立台中教育大學語文教育學系碩士論文　2006年　魏聰祺指導

㈢中學語文教學與修辭

1922 黃慶萱 高級中學文法與修辭（上、下）
台北　國立編譯館　1986年8月初版

1923 黃慶萱 高級中學文法與修辭教師手冊（上、下）
台北　國立編譯館　1987年1月初版

1924 董季棠 中學生國文修辭講話
台北　中國語文月刊社　1995年

1925 莊銀珠 高中作文教學設計活路——結構修辭篇
高雄　復文圖書出版社　1997年8月初版

1926 蔡宗陽 高級中學文法與修辭（上、下）
台北　三民書局　2000年8月初版

1927 楊如雪 文法與修辭（上、下）
台北　康熙圖書網路公司　2001年8月初版

1928 徐玉玲、徐玉舒　中學生國文修辭破解攻略
台北　紅狐文化事業　2002年5月初版

1929 張春榮 國中國文修辭教學　台北　萬卷樓圖書公司　2005年4月初版
1. 修辭教學的展望　頁3－11
2. 九年一貫的修辭教學　頁13－39
3. 創造思考教學與修辭　頁41－47
4. 喻寫與創思　頁49－60

*2165 王昌煥 國中修辭教學的桂林山水——張春榮《國中國文修辭教學》一書賞評
國文天地　21卷2期（總242）　頁100－105　2005年7月

1930 黃慶萱 修辭學在國文教學上的重要性
中等教育　28卷4期　頁27－29　1977年6月

學林尋幽——見南山居論學集　頁 273－285　台北　東大圖書公司　1995 年 3 月初版

1931　黃慶萱　修辭學與國文教學
學粹　19 卷 4－5 期　頁 31－33　1977 年 10 月
如何教國文　頁 34－42　台北　國立台灣師範大學中等教育輔導委員會編　1981 年 6 月

1932　林瑞娟　國中範文修辭選釋
作文教學討論與創新　頁 82－98　台北　萬華國中　1980 年 4 月初版

1933　蔡宗陽　修辭學在國文教學上的運用
中等教育　33 卷 1 期　頁 50－57　1982 年 2 月

1934　黃慶萱　修辭學在國文教學上的運用
如何教國文　第二集　頁 179－202　台北　國立台灣師範大學中等教育輔導委員會編　1982 年 6 月

1935　林清標　現行國民中學國文課本淺易修辭格法釋例及整理
台北　重慶女子國中國文科教學研究會編　1982 年 4 月初版

1936　陳品卿　新編國中國文修辭法舉例
教學與研究（國立台灣師範大學文學院）　7 期　頁 45－56　1985 年 6 月

1937　陳滿銘　中學國文課文修辭實例舉要
中等教育　37 卷 4 期　頁 39－56　1986 年 8 月

1938　楊鴻銘　高中國文百種章法修辭釋例（上）
國文天地　5 卷 5 期（總 53）　頁 73－77　1989 年 10 月

1939　楊鴻銘　高中國文百種章法修辭釋例（下）
國文天地　5 卷 6 期（總 54）　頁 66－69　1989 年 11 月

1940　莊銀珠　修辭訓練教學
高中國文教學設計活路　第八章　頁 171－230　台北　新學識文教出版中心　1992 年

1941　王忠林　國中國文教學中修辭學的運用
第一屆中國語文教學學術研討會論文集　頁 1－16　高雄　國立高雄師範大學國文系所編　1992 年

1942　董季棠　我教修辭的經驗與心得
中國語文　72 卷 3 期（總 429）　頁 28－31　1993 年 3 月

1943　王忠林　國中國文範文教學中修辭學的運用
第三屆中國語文教學學術研討會論文集　頁 1－16　高雄　國立高雄師範大學國文系所編　1994 年

1944　蔡宗陽　修辭格的辨析原則與命題技巧
中等教育　45 卷 6 期　頁 56－65　1994 年 12 月

1945　蔡宗陽　修辭分析與國文教學
台灣、大陸、香港、新加坡四地中學語文教學論文集　頁 107－122　台北　國立台灣師範大學中等教育輔導委員會主編　1995 年 5 月初版

1946　蔡宗陽　從比較法談修辭教學
人文及社會科教學通訊　6 卷 3 期（總 33）　頁 11－20　1995 年 10 月

1947　黃麗貞　修辭在中學國文教學中的應用
兩岸暨港新四地中小學國語文教學國際研討會論文集　頁 81－94　台北　國立台灣師範大學國文系、中等教育輔導委員會主編　1995 年 6 月初版
實用修辭學　附錄四　頁 578－592　台北　國家出版社　1999 年 3 月初版　2004 年 3 月增訂初版

1948　黃麗貞　如何進行修辭教學
如何進行國文教學　頁 133－145　台北　國立台灣師範大學中等教育輔導委員會主編　1996 年 6 月初版

1949　蔡宗陽　修辭教學面面觀
第四屆近代中國學術研討會論文集　頁 341－353　國立中央大學中國文學系所　1998 年 3 月初版

1950　蔡宗陽　修辭學的教學目標
台灣省高級中學國文科教學研究專輯　第五輯　頁 131－145　台灣省政府教育廳　1999 年 6 月
修辭通訊　2 期　頁 38－51　2000 年 6 月
應用修辭學　第五章第一節　頁 272－299　台北　萬卷樓圖書

公司　2001年5月初版

1951　黃錦鋐　文法與修辭在國中教學中的重要性
語文教學論叢　頁135－150　基隆　法嚴出版社　2001年1月初版

1952　陳惠齡　現代文學鑒賞與教學的理論——修辭技法論
現代文學鑑賞與教學　第貳篇第四章　頁207－289　台北　萬卷樓圖書公司　2001年9月初版

1953　王秋月　增進作文能力的教學設計——推介多寫的秘訣，提高組章修辭的功力
增進國中生作文基本能力之研究　第五章第四節　頁83－131
國立高雄師範大學國文教學碩士班碩士論文　2002年　陳宏銘指導

1954　蘇秀錦　從指定考科參考試卷看修辭題新趨勢
國文天地　17卷8期（總200）　頁76－80　2002年1月
重高學報（三重高中）　5期　頁57－63　2002年6月

1955　李秀萍　高中國文範文修辭教學研究
國立高雄師範大學國文教學碩士班碩士論文　2002年　李金城指導

1956　劉美玉　漫談中學修辭教學
修辭論叢　第五輯　頁1030－1045　中國修辭學會、台灣師大國文系編　台北　洪葉文化事業公司　2003年11月初版

1957　劉美玉　漫談中學修辭教學
修辭論叢　第六輯　頁163－178　中國修辭學會、玄奘大學中文系編　台北　洪葉文化事業公司　2004年11月初版

1958　建國高中國文科教學研究會編　高中國文學習資料——修辭門
高中國文學習資料　頁99－123　台北　中央日報出版中心　2003年9月新版

1959　鄭圓鈴　認識修辭法教學重點
Bloom認知領域教育目標在國語文教學與評量的運用　頁155－169　台北　心理出版社　2004年1月初版

1960　高慶文　國中國文科範文修辭教學研究
國立高雄師範大學國文教學碩士班碩士論文　2004年　李金城指導

1961　張慧貞　兩岸辭章學研究和語文教學隅談
修辭論叢　第六輯　頁135－152　中國修辭學會、玄奘大學中文

系編　台北　洪葉文化事業公司　2004 年 11 月初版

1962　戴淑敏　談原創作品語言修辭之兩性符號與迷思——以國中一年級國文教科書爲例
性別平等教育季刊　29 期　頁 129－136　2004 年 11 月

1963　方柔雅　國中詩與文修辭教學研究
國立高雄師範大學國文教學碩士班碩士論文　2005 年　江聰平指導

1964　劉力嘉　高年級中文課程之再思——從修辭與解難著眼
中文教學理論與實踐的回顧與展望：慶祝趙智超教授榮退學術研討會論文集　頁 175－188　李振清、陳雅芬、梁新欣編　台北　師大書苑　2005 年 3 月初版

十、

口語修辭

㈠綜論

1965　馮長青　北平話的修辭用法
國教月刊　19 卷 12 期　頁 27　1972 年 12 月

1966　沈　謙　口語修辭的「拙、通、巧、樸」
修辭論叢　第一輯　頁 35－67　中國修辭學會、台灣師大國文系編　台北　洪葉文化事業公司　1999 年 8 月初版

1967　陳光明　日常語言的修辭技巧
國文天地　16 卷 2 期（總 182）　頁 62－63　2000 年 7 月

1968　李慕如　幽默與口說藝術──修辭妙美律
談幽默的說說寫寫　下篇　頁 172－186　高雄　高雄復文圖書出版社　2001 年 5 月初版
修辭論叢　第三輯　頁 1－55　銘傳大學應用中文系、所、中國修辭學會、中國語文學會編　台北　洪葉文化事業公司　2001 年 6 月初版

1969　黃　河　會話話語的審美分析
修辭論叢　第三輯　頁 151－1061　銘傳大學應用中文系所、中國修辭學會、中國語文學會編　台北　洪葉文化事業公司　2001 年 6 月初版

1970　蔡秀汾　譬喻法在行爲改變上的應用
師友　417 期　頁 71－74　2002 年 3 月

1971　花　勇　試論言語交際過程中主體的雙重角色
修辭論叢　第四輯　頁 687－697　中國修辭學會、輔仁大學中文系編　台北　洪葉文化事業公司　2002 年 6 月初版

1972　舒兆民　禮貌原則下的漢語口語修辭研究——以「要求」、「拒絕」、「抱怨」、「不同意」爲範圍
修辭論叢　第六輯　頁 376—398　中國修辭學會、玄奘大學中文系編　台北　洪葉文化事業公司　2004 年 11 月初版

1973　王玲月　《說苑・正諫》之勸說藝術探討
修辭論叢　第六輯　頁 590－608　中國修辭學會、玄奘大學中文系編　台北　洪葉文化事業公司　2004 年 11 月初版

㈡格言、諺語修辭

1974　朱介凡　疊詞諺語
聯合報　1955 年 11 月 26 日 6 版

1975　何永清　《昔時賢文》中的修辭技巧
中國語文　70 卷 6 期（總 420）　頁 50－54　1992 年 6 月

1976　何永清　諺語的修辭技巧
中國語文　82 卷 3 期（總 489）　頁 40－44　1998 年 3 月

1977　何永清　《格言聯璧》的修辭手法探究
中國語文　85 卷 3 期（總 507）　頁 53－59　1999 年 9 月

1978　何永清　《佛光菜根譚》的修辭智慧
中國語文　85 卷 4 期（總 508）　頁 43－49　1999 年 10 月

1979　何永清　諺語的修辭
修辭漫談　頁 55－63　台北　台灣商務印書館　2000 年 4 月初版

1980　何永清　《昔時賢文》中的修辭
修辭漫談　頁 75－81　台北　台灣商務印書館　2000 年 4 月初版

1981　何永清　讀《昔時賢文》
修辭漫談　頁 82－85　台北　台灣商務印書館　2000 年 4 月初版

1982　何永清　「朱柏廬治家格言」的修辭析探
中國語文　89 卷 4 期（總 532）　頁 4－50　2001 年 4 月

1983　蔡蓉芝　台華諺語語言之比較——修辭
從台華諺語看語言與文化　第三章　頁 51－91　國立台灣師範大學華語文教學研究所碩士論文　2002 年　曾金金指導

1984　陳文識　金門諺語的形式探討──金門諺語的修辭技巧
金門諺語研究　第四章第四節　頁 286－299　台北市立師範學院應用語言文學研究所碩士論文　2003 年　古國順指導

1985　舒兆民　台華諺語譬喻修辭的語用學分析初探
修辭論叢　第五輯　頁 1162－1193　中國修辭學會、台灣師大國文系編　台北　洪葉文化事業公司　2003 年 11 月初版

1986　舒兆民、蔡蓉芝　試從預設與合作原則看國臺譬喻諺語的語用文化
台灣風物　54 卷 2 期　頁 71－103　2004 年 6 月

1987　何永清　從修辭看大學的校訓
中國語文　96 卷 3 期（總 573）　頁 46－54　2005 年 3 月

1988　邱盛煌　《增廣賢文》的修辭與音韻
《增廣賢文》研究　第四章　頁 143－206　台北市立教育大學應用語言文學研究所碩士論文　2006 年　葉鍵得指導

㈢民歌、民謠、流行歌曲與修辭

1989　林信來　阿美族民謠謠詞的修辭探析
台灣阿美族民謠謠詞研究　頁 176－206　台東　作者自印本　1981 年 5 月

1990　蔡宗陽　哈薩克族民歌的修辭技巧
教學與研究（國立台灣師範大學文學院）　15 期　頁 45－62　1993 年 6 月
修辭學探微　頁 311－339　台北　文史哲出版社　2001 年 4 月初版

1991　蔡宗陽　維吾爾族民歌的修辭手法
教學與研究（國立台灣師範大學文學院）　17 期　頁 43－60　1995 年 6 月
修辭學探微　頁 341－361　台北　文史哲出版社　2001 年 4 月初版

1992　陳室如　流行歌詞與修辭的關係──以金曲獎流行歌曲最佳作詞得獎作品爲例（1990－2002）
修辭論叢　第五輯　頁 263－299　中國修辭學會、台灣師大國文系編　台北　洪葉文化事業公司　2003 年 11 月初版

1993　林純宇　〈思想起〉修辭藝術
〈思想起〉歌謠研究　第四章第二節　頁 73－77　國立花蓮師範學院國民教育研究所語文教學碩士班碩士論文　2005 年　羅清能指導

㈣笑話修辭

1994　陳清俊　古代笑話的藝術特色——古代笑話的寫作技巧
中國古代笑話研究　第三章第三節　頁 49－63　國立台灣師範大學國文研究所　碩士論文　1985 年　羅宗濤指導

1995　許雅娟　笑話與修辭——以明·趙南星《笑贊》爲例
修辭論叢　第一輯　頁 575－597　中國修辭學會、台灣師大國文系編　台北　洪葉文化事業公司　1999 年 8 月初版

㈤閩南語修辭

1996　黃飛龍　台灣閩南諺語修辭美學研究
南華大學文學研究所碩士論文　2002 年　胡仲權指導

1997　林孝璘　閩南語修辭格舉例——語義特殊組合構成的辭格
復中學報　1 期　頁 107－117　2002 年 5 月

1109　李添富　閩南方言裡的視覺摹寫鑲疊詞
修辭論叢　第四輯　頁 419－435　中國修辭學會、輔仁大學中文系編　台北　洪葉文化事業公司　2002 年 6 月初版

1998　許筱萍　台灣閩南諺語修辭研究
玄奘人文社會學院中國語文研究所碩士論文　2003 年　沈謙指導

1999　李婉君　河洛諺語修辭分析
台灣河洛話有關查某人諺語之研究　第三章　頁 57－108　國立彰化師範大學國文學系在職進修專班碩士論文　2003 年　周益忠指導

2000　林清淵　閩南語的身體譬喻與代喻
國立中正大學語言學研究所碩士論文　2003 年　戴浩一、張永利

指導

0790　黃文正　台灣閩南方言歇後語中的雙關趣味
修辭論叢　第六輯　頁 332－350　中國修辭學會、玄奘大學中文系編　台北　洪葉文化事業公司　2004 年 11 月初版

2001　游丞儀　台灣閩南語比喻修辭與教學研究
第六屆台灣語文教育研究生論文研討會論文集　頁 218－233　新竹師範學院台灣語言與語文教育研究所編　2005 年 1 月

2002　許筱萍　台灣閩南諺語之譬喻修辭法
育達學報　19 期　頁 37－59　2005 年 12 月

㈥客家語修辭

2003　古國順　山歌的賦比興
客家風雲　22 期　1989 年 10 月

2004　曾瑞媛　客家童謠的修辭
桃竹苗客家童謠之研究　第四章第三節　頁 106－115　國立台灣師範大學音樂研究所碩士論文　1993 年　許常惠、羅肇錦指導

2005　彭素枝　六堆客家山歌的藝術特質——六堆客家山歌的修辭藝術
台灣六堆客家山歌研究　第六章第三節　頁 95－117　國立台灣師範大學國文研究所碩士論文　1995 年　傅武光、羅肇錦指導

2006　黃菊芳　〈渡子歌〉的語言藝術
〈渡子歌〉研究　第四章　頁 130—161　國立政治大學中國文學研究所碩士論文　1999 年　彭欽清、黃志民指導

2007　徐子晴　客家諺語的取材和修辭研究
國立新竹師範學院台灣語言與語文教育研究所碩士論文　2000 年　范文芳指導

2008　陳淑惠　客家童謠的修辭——客家童謠的文學探討
台灣地區客家童謠之研究　第五章第四節　頁 107－129　國立台灣師範大學國文學系在職進修碩士班碩士論文　2004 年　傅武光指導

2009　張美容　令仔的形式探究——令仔的修辭

客家令仔（謎語）的語文研究　第五章第五節　頁 109－125　國立新竹教育大學進修部語文教學碩士班碩士論文　2006 年　范文芳指導

㈦演講修辭

2010　蔣金龍　演講修辭學
台北　黎明文化公司　1981 年 6 月初版

2011　王炯聲　三民主義講詞中積極修辭格之研究
政治作戰學院新聞研究所碩士論文　1986 年　蔣金龍指導

2012　許如冰　修辭認同之理論與實際——美國雷根總統「國情咨文」演說（1982－1988）之修辭分析
中國文化大學新聞研究所碩士論文　1988 年　吳奇爲指導

2013　彭嘉強　論演講的修辭美學效應
修辭論叢　第一輯　頁 481－514　中國修辭學會、台灣師大國文系編　台北　洪葉文化事業公司　1999 年 8 月初版

2014　丁美雪　從認知心理談演講的篇章修辭——以「注意與記憶」的機制爲主
國立高雄師範大學國文教學碩士班碩士論文　2003 年　王松木指導

十一、

應用修辭

㈠對聯修辭

2015　李兆蘭　聯語文學研究　台中　書恆出版社　1982 年 3 月
1. 聯語的對偶　頁 39－45
2. 聯語的用字　頁 46－48
3. 聯語的綴句　頁 49－63

2016　牛宏泰　對聯修辭藝術
嘉義　台灣中草藥雜誌社　2002 年 6 月初版

2017　何永清　對聯中的修辭技巧
中國語文　70 卷 2 期（總 416）　頁 21－29　1992 年 2 月

2018　李芝瑩　寺廟楹聯中的修辭與內涵——以花蓮地區爲例
修辭論叢　第一輯　頁 611－633　中國修辭學會、台灣師大國文系編　台北　洪葉文化事業公司　1999 年 8 月初版
大漢學報　13 期　頁 401－413　1999 年 10 月

2019　何永清　對聯與修辭
修辭漫談　頁 67－71　台北　台灣商務印書館　2000 年 4 月初版

2020　江聰平　對聯的修辭技巧
修辭論叢　第二輯　頁 803－821　中國修辭學會、高雄師大國文系編　台北　洪葉文化事業公司　2000 年 7 月初版

2021　何永清　析字對聯探究
中國語文　87 卷 4 期（總 520）　頁 91－95　2000 年 10 月

2022　潘柏年　巧聯修辭趣味析論——引用、雙關
修辭論叢　第三輯　頁 730－758　銘傳大學應用中文系所、中國修辭學會、中國語文學會編　台北　洪葉文化事業公司　2001 年

6月初版

2023　崔成宗　長聯修辭藝術初探
修辭論叢　第六輯　頁249－266　中國修辭學會、玄奘大學中文系編　台北　洪葉文化事業公司　2004年11月初版

㈡新聞、廣告與修辭

2024　蔡宗陽　新聞標題的修辭技巧
慶祝莆田黃天成先生七秩誕辰論文集　頁407－428　台北　文史哲出版社　1991年6月
修辭學探微　頁381－400　台北　文史哲出版社　2001年4月初版

2025　莊明振、鄒永勝　視覺傳達設計中視覺修辭應用的探討
設計學報　3卷1期　頁101－119　1998年6月

2026　何永清　廣告詞的修辭析賞
中國語文　83卷5期（總497）　頁59－63　1998年11月

2027　張美玉　1998年台北市長選舉辯論中的譬喻策略之研究
國立清華大學語言學研究所碩士論文　2000年　郭賽華指導

2028　杜淑貞　從廣告談修辭藝術
國文天地　16卷3期（總183）　頁72－75　2000年8月

2029　宋惠貞　政治文宣的隱喻——西元兩千年總統選舉的競選文宣
國立中正大學語言學研究所碩士論文　2001年　戴浩一指導

2030　袁景萍　晚報股市新聞隱喻的使用——以《聯合晚報》爲例
國立政治大學新聞學系碩士論文　2001年　鍾蔚文指導

0611　紀彣岳　譬喻修辭法對廣告效果之探討
國立中央大學企業管理研究所碩士論文　2002年　林建煌指導

2031　王妙云　廣告有理・修辭萬歲——《聯合文學》月刊中的廣告與修辭
修辭論叢　第四輯　頁573－612　中國修辭學會、輔仁大學中文系編　台北　洪葉文化事業公司　2002年6月初版

2032　劉佳惠　隱喻廣告之認知效果研究——以Levi's平面廣告爲例
華岡印刷傳播學報：印刷傳播設計　34期　頁79－86　2003年

2033　梁惠蓉　修辭在廣告上的應用

中華技術學院學報　27期　頁216－226　2003年5月

2034　彭嘉強　播音商業廣告語言的藝術魅力
中國語文　93卷4期（總556）　頁69－75　2003年10月

2035　吳玉雯　廣告標語對消費者態度影響之研究——修辭格之分類應用
淡江大學企業管理學系碩士論文　2004年　王居卿指導

2036　林于弘　巧心鑄慧詞——從一則廣告談起
中國語文　94卷4期（總562）　頁106－107　2004年4月

2037　倪台瑛　從廣告用語探論二十一世紀中國修辭學發展的趨勢
淡江人文社會學刊　21期　頁1－30　2004年12月

2038　徐喜萱　台灣報章標題隱喻詞彙宏觀分析與外籍生認知度研究
國立台灣師範大學華語文教學研究所碩士論文　2004年　曾金金指導

2039　鄔佳玲　雙關語應用於平面廣告之研究——以1989－2003年之遠見雜誌爲例
輔仁大學應用美術學系碩士班碩士論文　2004年　馮永華指導

2040　黃甲乙　台灣新聞標題語言的現象——文法修辭方面
台灣新聞標題的語言研究　第三章第二節　頁99－124　國立彰化師範大學國文學系在職進修專班碩士論文　2004年　王年雙指導

2041　曾淑伶　新聞標題修辭剖析——以敏督利颱風爲例
大明學報　6期　頁1－14　2005年6月

㈢成語修辭

2042　黃玲玲　四字成語的修辭手法
當代常用四字成語研究　第七章　頁155－184　東海大學中國文學研究所碩士論文　1983年　方師鐸指導

2043　陳亞南　成語中的譬喻
中國語文　55卷5期（總329）　頁11－18　1984年11月

2044　李炳傑　成語中用動物做比喻及形容的情形
中國語文　57卷4期（總340）　頁22－27　1985年10月

2045　李炳傑　成語中用植物做比喻及形容的情形

中國語文　57卷6期（總342）　頁50－53　1985年12月

2046　王希杰　成語修辭觀

中國語文　80卷1期（總475）　頁73－77　1997年1月

2047　邱德修　成語生成研究（一）

修辭論叢　第三輯　頁1062－1090　銘傳大學應用中文系所、中國修辭學會、中國語文學會編　台北　洪葉文化事業公司　2001年6月初版

2048　楊鴻銘　成語修辭分析（上）

孔孟月刊　41卷7期（總487）　頁42－49　2003年3月

2049　楊鴻銘　成語修辭分析（下）

孔孟月刊　41卷8期（總488）　頁42－49　2003年4月

2050　何永清　成語的語法與修辭及其教學探究

台北市立師範學院學報（人文藝術類、社會科學類、科學教育類）36卷1期　頁1－24　2005年5月

十二、

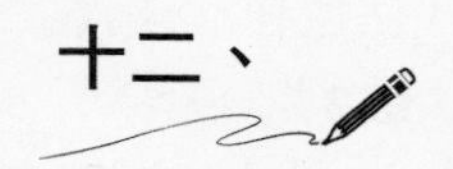

修辭學與其他學科

㈠綜論

2051　鄭子瑜　修辭學與其他學科的關係
中國修辭學的變遷　頁58－62　台北　書林出版社　1996年5月初版

㈡語法學與修辭

2052　張席珍　語法．思辨．修辭（上）
中國語文　20卷1期（總115）　頁17－19　1967年1月

2053　張席珍　語法．思辨．修辭（下）
中國語文　20卷2期（總116）　頁20－22　1967年2月

2054　何淑貞　春風又綠江南岸，明月何時照我還——談古漢語詞類的活用
古漢語語法與修辭研究　頁1－78　台北　華正書局　1987年6月初版

2055　張春榮　不知東方之既白——否定句
修辭散步　頁263－269　台北　東大圖書公司　1991年9月初版

2056　李若鶯　「狀語」在詞中的修辭作用
花落蓮成——詞學瑣論　頁1－28　高雄　復文圖書出版社　1992年2月初版

2057　劉崇義　「詞類活用」的修辭作用
中國語文　70卷3期（總417）　頁45－46　1992年3月
國語文教與學論集　頁189－190　台北　萬卷樓圖書公司　1998年2月初版

2058　楊如雪　我的機車很「法拉利」：詞類的活用（一）——名詞的活用
國文天地　9卷2期（總）　頁72－79　1993年7月
文法ABC——給你一把解開國文文法教學的鑰匙　頁111－125
台北　萬卷樓圖書公司　2002年2月增修再版

2059　楊如雪　奔向「羅曼蒂克」、飛進浪漫歐洲：詞類的活用（二）——形容詞的活用
國文天地　9卷4期（總）　頁88－94　1993年9月
文法ABC——給你一把解開國文文法教學的鑰匙　頁111－125
台北　萬卷樓圖書公司　2002年2月增修再版

2060　楊如雪　棹歌驚起「睡」鴛鴦：詞類的活用（三）——動詞的活用
國文天地　9卷6期（總）　頁75－80　1993年11月
文法ABC——給你一把解開國文文法教學的鑰匙　頁141－155
台北　萬卷樓圖書公司　2002年2月增修再版

2061　楊如雪　習之中人「甚」矣哉：詞類的活用（四）——副詞及其他實詞的活用
國文天地　9卷8期（總）　頁92－97　1994年1月
文法ABC——給你一把解開國文文法教學的鑰匙　頁155－169
台北　萬卷樓圖書公司　2002年2月增修再版

2062　蔡宗陽　論修辭與文法的關係
紀念程旨雲先生百年誕辰學術研討會論文集　頁641－658　台北　台灣書店　1994年5月
修辭學探微　頁1－15　台北　文史哲出版社　2001年4月初版

2063　張春榮　把字句與修辭
明道文藝　220期　頁41－47　1994年7月

2064　張春榮　補詞與辭格
國文天地　10卷11期（總119）　頁26－33　1995年4月

2065　張春榮　雨針與淚花——談複詞
中國語文　76卷4期（總454）　頁37－40　1995年4月

2066　張春榮　把字句與辭格
人文及社會科教學通訊　6卷2期　頁184－195　1995年8月
國文天地　19卷6期（總222期）　頁29－36　2003年11月

2067　張春榮　判斷句與辭格
台北師院語文集刊　1期　頁101－116　1996年6月

2068　張春榮　被動句與辭格
台北師院語文集刊　2期　頁107－118　1997年6月

2069　劉崇義　試說古典文學中運用語法觀點產生的修辭美學
國語文教與學論集　頁191－201　台北　萬卷樓圖書公司　1998年2月初版

2070　金正起　論詞性修辭
中國現代文學理論　13期　頁35－53　1999年3月

2071　高淑萍　從教學角度看語法修辭的結合問題
修辭論叢　第三輯　頁232－254　銘傳大學應用中文系所、中國修辭學會、中國語文學會編　台北　洪葉文化事業公司　2001年6月初版

2072　張春榮　經驗與價值的世界——判斷句與辭格
修辭新思維　頁233－257　台北　萬卷樓圖書公司　2001年9月初版

2073　張春榮　正確與精微——複詞的運用
修辭新思維　頁189－200　台北　萬卷樓圖書公司　2001年9月初版

2074　張春榮　變化與統一——動詞的活用
修辭新思維　頁201－210　台北　萬卷樓圖書公司　2001年9月初版

2075　張春榮　身段靈活的美容師——補詞與辭格
修辭新思維　頁211－231　台北　萬卷樓圖書公司　2001年9月初版

2076　張春榮　正確與精微——複詞的運用
中國語文　89卷4期（總532）　頁38－44　2001年10月
修辭新思維　頁189－200　台北　萬卷樓圖書公司　2001年9月初版

2077　詹秀惠　漢語轉換詞結爲名詞組的舵手：「所」、「攸」、「之」、「的」
修辭論叢　第四輯　頁51－97　中國修辭學會、輔仁大學中文系

編　台北　洪葉文化事業公司　2002 年 6 月初版

2078　李晗蕾　名名並列式標題的修辭分析
國文天地　18 卷 1 期（總 205）　頁 81－86　2002 年 6 月

2079　沈　謙　論偏義複詞
修辭方法析論　頁 285－297　台北　文史哲出版社　2002 年 10 月初版

2080　詹秀惠　《論語》外位語法研究
修辭論叢　第五輯　頁 1104－1145　中國修辭學會、台灣師大國文系編　台北　洪葉文化事業公司　2003 年 11 月初版

2081　莊惠茹　論先秦漢語助動詞「敢」字用法——以殷周金文爲例
修辭論叢　第五輯　頁 62－96　中國修辭學會、台灣師大國文系編　台北　洪葉文化事業公司　2003 年 11 月初版

2082　王錦慧　說「二」、「兩」、「再」的用法
修辭論叢　第五輯　頁 1239－1260　中國修辭學會、台灣師大國文系編　台北　洪葉文化事業公司　2003 年 11 月初版

2083　黃陶陶　結合語法的十種修辭格教學
國教世紀　215 期　頁 79－88　2005 年 4 月

㈢語言學、文字學、聲韻學、訓詁學與修辭

2084　蔡宗陽　論修辭與訓詁的關係
訓詁論叢　頁 211－229　台北　文史哲出版社　1994 年 1 月初版
修辭學探微　頁 1－15　台北　文史哲出版社　2001 年 4 月初版

2085　蔡宗陽　論修辭與文字的關係
第六屆中國文字學全國學術研討會論文集　頁 143－151　中國文字學會、國立中興大學中國文學系所主編　1995 年 9 月
修辭學探微　頁 1－15　台北　文史哲出版社　2001 年 4 月初版

2086　潘柏年　論修辭與聲韻的關係
修辭論叢　第一輯　頁 437－460　中國修辭學會、台灣師大國文系編　台北　洪葉文化事業公司　1999 年 8 月初版

2087　蔡宗陽　論修辭與聲韻的關係

修辭學探微　頁17－28　台北　文史哲出版社　2001年4月初版

2088　朴胤朝　在中朝鮮族的雙語現象研究
修辭論叢　第三輯　頁394－409　銘傳大學應用中文系所、中國修辭學會、中國語文學會編　台北　洪葉文化事業公司　2001年6月初版

2089　余光武　論漢語插入語的傳信與情態表達功能
修辭論叢　第四輯　頁149－170　中國修辭學會、輔仁大學中文系編　台北　洪葉文化事業公司　2002年6月初版

㈣章法學與修辭

2090　陳滿銘　談見於詩詞裡的凡目結構
修辭論叢　第一輯　頁 95－115　中國修辭學會、台灣師大國文系編　台北　洪葉文化事業公司　1999年8月初版

2091　陳佳君　抑揚法的理論與應用
修辭論叢　第一輯　頁217－241　中國修辭學會、台灣師大國文系編　台北　洪葉文化事業公司　1999年8月初版

2092　仇小屏　平提側注法的理論應用
修辭論叢　第一輯　頁551－573　中國修辭學會、台灣師大國文系編　台北　洪葉文化事業公司　1999年8月初版

2093　夏薇薇　賓主法與其他修辭格、章法的比較
文章賓主法析論　第七章　頁 351—365　國立台灣師範大學國文研究所碩士論文　1999年　陳滿銘指導

2094　陳滿銘　談「平提側收」的篇章結構
修辭論叢　第二輯　頁193－213　中國修辭學會、高雄師大國文系編　台北　洪葉文化事業公司　2000年7月初版

2095　陳佳君　論虛實章法的內涵
修辭論叢　第二輯　頁215－248　中國修辭學會、高雄師大國文系編　台北　洪葉文化事業公司　2000年7月初版

2096　王鐿容　諷刺與解構——試從臥閑草堂評本看《儒林外史》的文章章法
修辭論叢　第三輯　頁 94－151　銘傳大學應用中文系所、中國

		修辭學會、中國語文學會編　台北　洪葉文化事業公司　2001 年 6 月初版
2097	陳滿銘	文章主旨置於篇外的謀篇形式——以詩詞爲例 修辭論叢　第三輯　頁 1114－1143　銘傳大學應用中文系所、中國修辭學會、中國語文學會編　台北　洪葉文化事業公司　2001 年 6 月初版
2098	陳滿銘	論章法與邏輯思維 修辭論叢　第四輯　頁 1－32　中國修辭學會、輔仁大學中文系編　台北　洪葉文化事業公司　2002 年 6 月初版
2099	陳佳君	論辭章內容結構之單一類型——以其所適用的章法爲考察重心 修辭論叢　第四輯　頁 665－686　中國修辭學會、輔仁大學中文系編　台北　洪葉文化事業公司　2002 年 6 月初版
2100	仇小屏	論章法的對比與調和之美——以正反法、賓主法與圖底法爲考察對象 修辭論叢　第四輯　頁 117－147　中國修辭學會、輔仁大學中文系編　台北　洪葉文化事業公司　2002 年 6 月初版
2101	陳滿銘	論辭章的章法風格 修辭論叢　第五輯　頁 1－51　中國修辭學會、台灣師大國文系編　台北　洪葉文化事業公司　2003 年 11 月初版
2102	仇小屏	論章法結構的原型與變型——以遠近法、今昔法、因果法爲考察對象 修辭論叢　第五輯　頁 404－440　中國修辭學會、台灣師大國文系編　台北　洪葉文化事業公司　2003 年 11 月初版
2103	許秀美	〈晏子傳〉一文的篇旨及章法探析 修辭論叢　第五輯　頁 505－536　中國修辭學會、台灣師大國文系編　台北　洪葉文化事業公司　2003 年 11 月初版
2104	蒲基維	從辭章章法析論李煜詞的風格 修辭論叢　第五輯　頁 610－634　中國修辭學會、台灣師大國文系編　台北　洪葉文化事業公司　2003 年 11 月初版
2105	陳佳君	論章法的「四虛實」 修辭論叢　第五輯　頁 777－809　中國修辭學會、台灣師大國文

系編　台北　洪葉文化事業公司　2003 年 11 月初版

2106　仇小屏　論雙軌式綱領——以新詩爲考察對象
修辭論叢　第六輯　頁 677－700　中國修辭學會、玄奘大學中文系編　台北　洪葉文化事業公司　2004 年 11 月初版

2107　陳滿銘　意象與辭章
修辭論叢　第六輯　頁 351－375　中國修辭學會、玄奘大學中文系編　台北　洪葉文化事業公司　2004 年 11 月初版

2108　鍾玖英　台灣章法學研究對大陸修辭學研究的啓示
陳滿銘教授七秩榮退誌慶論文集　頁 501－507　台北　萬卷樓圖書公司　2005 年 7 月

(五)風格學、語言風格學（語體）與修辭

2109　佚　名　修辭學與風格論
修辭學論叢　頁 130－143　台北　樂天出版社　1970 年 5 月初版

2110　王德春　論詞語的語體分化
修辭論叢　第一輯　頁 683－696　中國修辭學會、台灣師大國文系編　台北　洪葉文化事業公司　1999 年 8 月初版

2111　鄭頤壽　言語風格與「四六結構論」
修辭論叢　第二輯　頁 317－352　中國修辭學會、高雄師大國文系編　台北　洪葉文化事業公司　2000 年 7 月初版

2112　舒兆民　漢語語體交際的文化因素與教學應用——佐以兩個個案研究
修辭論叢　第三輯　頁 56－93　銘傳大學應用中文系所、中國修辭學會、中國語文學會編　台北　洪葉文化事業公司　2001 年 6 月初版

2113　廖志強　「藻麗」的語言藝術——一種語言表現風格的探析
親民學報　5 期　頁 177－191　2001 年 11 月

2114　張慧美　語言的風格作用
中國語文　91 卷 5 期（總 545）　頁 19－32　2002 年 11 月

2115　彭嘉強　論俚俗詞語的修辭功能及其語言風格
修辭論叢　第三輯　頁 438－459　銘傳大學應用中文系所、中國

修辭學會、中國語文學會編　台北　洪葉文化事業公司　2001年6月初版

2116　黎運漢　近二十多年來漢語風格學研究的成就和發展趨勢
修辭論叢　第五輯　頁1046－1061　中國修辭學會、台灣師大國文系編　台北　洪葉文化事業公司　2003年11月初版

2117　李熙宗　關於語體的定義問題
修辭論叢　第六輯　頁67－97　中國修辭學會、玄奘大學中文系編　台北　洪葉文化事業公司　2004年11月初版

2118　黎運漢　論漢語風格學的傳統
修辭論叢　第六輯　頁153－162　中國修辭學會、玄奘大學中文系編　台北　洪葉文化事業公司　2004年11月初版

2119　袁　暉　談談語體的通用成分、專用成分和跨體成分
修辭論叢　第六輯　頁51－66　中國修辭學會、玄奘大學中文系編　台北　洪葉文化事業公司　2004年11月初版

㈥語用學與修辭

2100　劉鳳玲　試論社會用語的特性
修辭論叢　第二輯　頁437－452　中國修辭學會、高雄師大國文系編　台北　洪葉文化事業公司　2000年7月初版

2121　胡范鑄　試論漢語修辭學與語用學整合的可能
修辭論叢　第六輯　頁 98－113　中國修辭學會、玄奘大學中文系編　台北　洪葉文化事業公司　2004年11月初版

2122　李子榮　論普遍語用學的「四個世界」說——兼與修辭學的「四個世界」比較
國文天地　20卷12期（總240）　頁55－61　2005年5月

㈦其他

1. 翻譯學與修辭

2123　陳美靜　林語堂英譯〈浮生六記〉風格評析——林譯修辭評析

林語堂英譯〈浮生六記〉風格評析　第三章　頁 31－54　國立台灣師範大學翻譯研究所碩士論文　2002 年　李奭學指導

2. 書法藝術與修辭

2124　白謙慎　從傅山和戴廷栻的交往論及中國書法中的應酬和修辭問題（上）故宮學術季刊　16 卷 4 期頁 95－133+左 6　1999 年夏

2125　白謙慎　從傅山和戴廷栻的交往論及中國書法中的應酬和修辭問題（下）故宮學術季刊　17 卷 1 期　頁 137－156+左 8　1999 年秋

十三、

書目

2127 沈 謙 修辭學的十三種書
書評書目 58期 頁126－137 1978年2月
國學方法論集・書目 頁381－393 台北 學人文教出版社 1979年1月

2128 蔡宗陽 修辭學的重要參考書
華文世界 37期 頁29－32 1985年7月

2129 林文寶 修辭學的理論應用及其書目
國民教育 27卷9期 頁15－19 1987年3月

2130 黃慶萱 研究修辭學重要書目指引
人文及社會學科教學通訊 1卷2期 頁16－19 1990年8月

2131 訾 杰 大陸修辭學出版情況概要
修辭論叢 第一輯 頁661－666 中國修辭學會、台灣師大國文系編 台北 洪葉文化事業公司 1999年8月初版

2132 宋 裕 修辭書目舉要
國文天地 16卷8期（總188） 頁99 2001年1月

十四、

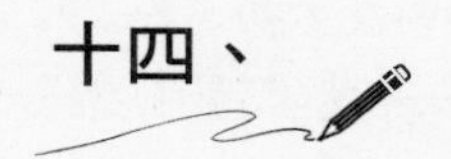

書序、書評、書介

2133　沈　謙　讀黃永武《字句鍛鍊法》
自由青年　43 卷 1 期　頁 96－99　1970 年 1 月

2134　空　谷　徐芹庭著修辭學發微
中華日報　頁 5　1971 年 4 月 26 日

2135　金　劍　傅隸樸著「修辭學」簡介
中華日報　1974 年 2 月 4 日 5 版

2136　思兼（沈謙）　爲漢語修辭奠一新基——黃著修辭學評介
幼獅月刊　41 卷 5 期（總 269）　頁 23－27　1975 年 5 月
收入　黃慶萱　修辭學「附錄」　頁 609－619　台北　三民書局　1986 年 12 月增訂初版

2137　王鼎鈞　開放的修辭學
中華日報副刊　1975 年 6 月 24 日
收入　黃慶萱　修辭學「附錄」　頁 601－602　台北　三民書局　1986 年 12 月增訂初版

2138　王熙元　修辭學領域的開拓——黃慶萱著修辭學評介
書評書目　28 期　頁 101－106　1975 年 8 月
收入　黃慶萱　修辭學「附錄」　頁 603－608　台北　三民書局　1986 年 12 月增訂初版

2139　胥端甫　徐芹庭「文章破題技巧及修辭方法」之研究
中華國學　1 卷 12 期　頁 51－54　1977 年 12 月

2140　高　明　黃著修辭學序
高明文輯（下）　頁 451－453　台北　黎明文化事業公司　1978 年 3 月初版

2141　董季棠　修辭析論自序

中國語文　49卷4期（總292）　頁47－49　1981年10月

2142　李炳傑　語法與修辭──從《活用修辭》談起
中國語文　55卷6期（總330）　頁35－43　1984年12月

2143　黃慶萱　攀登傳統修辭學的巔峰──黃永武《字句鍛鍊法》責任書評
聯合文學　2卷6期（總18）　頁154　1986年4月
與君細論文　頁274－275　台北　東大圖書公司　1999年3月初版

2144　陳國球　古代修辭學的研究──評鄭子瑜《中國修辭學史稿》
鏡花水月──文學理論批評論文集　頁173－192　台北　東大圖書公司　1987年12月初版

2145　蔡宗陽　古今合璧的專著──推介沈著《文心雕龍與現代修辭學》
中國語文　68卷3期（總405）　頁77－82　1991年3月

2146　張春榮　傑作中的嚮導──評沈謙《修辭學》
明道文藝　192期　頁76－78　1992年3月
修辭萬花筒　頁87－90　台北　駱駝出版社　1996年9月初版

2147　鄭子瑜　評楊樹達《古書句讀釋例》
鄭子瑜修辭學論文集　頁186－195　台北　書林出版社　1993年2月

2148　董季棠　《中學國文修辭講話》自序
中國語文　73卷2期（總434）　頁23－24　1993年8月

2149　黃慶萱　談瑜說瑕──評鄭子瑜《唐宋八大家古文修辭偶疏舉要》
中央日報　1993年11月9日
與君細論文　頁265－267　台北　東大圖書公司　1999年3月初版

2150　唐啓遠　評《中國現代修辭學史》
中國語文　77卷4期（總460）　頁27－31　1995年10月

2151　王希杰　說沈謙教授的《修辭方法析論》
中國語文　81卷2期（總482）　頁61－65　1997年8月

2152　陸慶和　九〇年代的文化語言新思維──評王希杰先生的《修辭學通論》
中國語文　81卷5期（總485）　頁98－102　1997年11月
中國語文　81卷6期（總486）　頁72－77　1997年12月

2153　張春榮　運用之妙──評鄭同元、鄭博真《作文修辭指導》
中央月刊文訊別冊　10期　頁22－23　1998年4月

2154　張春榮　觀念的整合與開拓——鄭發明《用修辭學作文》
文訊　175期　頁22－23　2000年5月

2155　施發筆　銳意精進，柳暗花明——讀王希杰《修辭學導論》
中國語文　88卷6期（總528）　頁86－90　2001年6月

2156　張春榮　根茂實遂——黃麗貞《實用修辭學》
文訊　191期　頁30－31　2001年9月
修辭新思維　頁273－277　台北　萬卷樓圖書公司　2001年9月初版

2157　程培元、鍾玖英　新理論．新視野．新理念——評王希杰先生《修辭學導論》
國文天地　17卷10期（總202）　頁85－87　2002年3月

2158　馮廣藝　二十世紀中國修辭學的扛鼎之作——讀鄭子瑜、宗廷虎主編的《中國修辭學通史》
中國語文　89卷4期（總532）　頁69－74　2001年10月

2159　王基倫　舉足涉水，已非前水——評張春榮《修辭新思維》
國文天地　17卷6期（總198）　頁92－93　2001年11月

2160　何永清　中天懸明月——《修辭新思維》評介
中國語文　90卷1期（總535）　頁93－95　2002年1月

2161　黃錦珠　縱深幅廣與變化精微——讀張春榮《修辭新思維》
文訊　198期　頁30－31　2002年4月

2162　鄭頤壽　漫步向「文藝辭章學」百花園的佳作——張春榮《修辭新思維》評介
國文天地　17卷11期（總203）　頁72－74　2002年4月

2163　沈　謙　修辭格專題研究的新猷——評介徐國珍《仿擬研究》
中國語文　93卷5期（總557）　頁55－60　2003年11月

2164　李晗蕾　重讀《漢語修辭學》
國文天地　19卷10期（總226）　頁105－111　2004年3月

2165　王昌煥　國中修辭教學的桂林山水——張春榮《國中國文修辭教學》一書賞評
國文天地　21卷2期（總242）　頁100－105　2005年7月

2166　沈　謙　文武兼資，體用合一的孫子兵法——評杜志成《孫子用兵與修辭

藝術探究》
中國語文　97卷2期（總578）　頁65－68　2005年8月

2167　李晗蕾　依見山水是山水，悟了還同未悟時——讀修訂本《漢語修辭學》
國文天地　21卷8期（總248）　頁72－77　2006年1月

2168　胡習之　略論《漢語修辭學》（修訂本）的修辭理論貢獻
國文天地　21卷8期（總248）　頁65－71　2006年1月

十五、資料彙編

2169　鄭奠、譚全基編　古漢語修辭學資料彙編
台北　明文書局　1984 年 9 月初版（原北京商務印書館 1980 年出版）

十六、

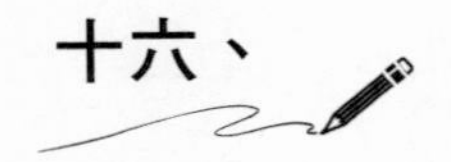

修辭學論文集

2170　鄭子瑜　鄭子瑜修辭學論文集　台北　書林出版社　1993 年 2 月初版

1. 編寫《中國修辭學史稿》的體會　頁 1－22
2. 甲骨金文中談修辭記載的發現　頁 23－35
3. 從學習古代漢語的目的說到古漢語的修辭　頁 36－44
4. 經傳談修辭　頁 45－66
5. 論先秦諸子的修辭技巧　頁 67－81
6. 論《史記》修辭之偶疏　頁 82－88
7. 魏文帝《典論・論文》「齊氣」解　頁 89－95
8. 汪中《釋三九》　頁 96－98
9. 與陳望道先生論照應　頁 99－106
10. 古書辨惑　頁 107－119
11. 漢語特殊的修辭技巧——回文　頁 120－131
12. 談連珠　頁 132－145
13. 談集句　頁 146－159
14. 台灣的修辭學研究　頁 160－171
15. 日本明治時代的修辭學研究　頁 172－185
16. 評楊樹達《古書句讀釋例》　頁 186－195
17. 評傅庚生《中國文學欣賞舉隅》與周振甫《詩詞例話》　頁 196－210
18. 讀錢鍾書《談藝錄》與《管錐篇》筆記　頁 211－221
19. 我怎樣編寫《中國修辭學史稿》　頁 225－229
20.《漢語修辭學史綱》序　頁 230－234
21. 在復旦大學授予顧問教授證書儀式上的講話　頁 235－237
22.《中國修辭學史稿》自序　頁 238－241

23.《中國修辭學史稿》　頁 242－244
24.《人名修辭學》序　頁 245－250

2171　洪北江編　修辭學論叢　台北　樂天出版社　1970 年 5 月初版
台北　洪氏出版社　1976 年 12 月
1. 鄭建業　假擬與修辭　頁 1－17
2. 賈　玄　譬喻與修辭　頁 17－42
3. 于再春　轉化論　頁 42－55
4. 傅更生　說三瘦　頁 55－64
5. 徐仲玉　論修改　頁 65－95
6. 徐仲玉　論陳言　頁 95－110
7. 徐仲玉　論技巧　頁 110－130
8. 佚　名　修辭學與風格論　頁 130－143
9. 徐德庵　由詞中螺旋式句法說到使用標點符號　頁 143－146
10. 程會昌　書吳梅村圓圓曲後　頁 146－148

2172　中國修辭學會、台灣師大國文系編　修辭論叢　第一輯　台北　洪葉文化事業公司　1999 年 8 月初版
黃慶萱　辭格的交集與區分　頁 1－14
黃麗貞　餘霞炫錦勉斜陽——吳東權銀髮文學的修辭技巧　頁 15－34
沈　謙　口語修辭的「拙、通、巧、樸」　頁 35－67
林淑貞　楊載《詩法家數》修辭理論抉微　頁 69－94
陳滿銘　談見於詩詞裡的凡目結構　頁 95－115
邱德修　春秋〈子軋編鐘銘〉的修辭藝術　頁 117－137
譚汝為　喜新厭舊，舍近求遠——論比喻運用的兩項原則　頁 139－143
譚汝為　中國古典詩歌特殊喻式研究　頁 144－155
林佳樺　屈賦中的「譬喻」修辭藝術　頁 157－181
梁淑媛　漢代敘事賦結構研究　頁 183－215
陳佳君　抑揚法的理論與應用　頁 217－241
何永清　《文化苦旅》的修辭手法　頁 243－263
姚友惠　幽默與修辭——以《中國歷代寓言選集》為例　頁 265

－284

宗廷虎　錢鍾書修辭理論初探　頁285－313

楊徵祥　建安辭賦「比擬」修辭考察　頁315－334

陳素素　鄭子瑜韓文句法修訂之商榷——從漢語句法結構繁簡之法觀察　頁335－363

江聰平　鄭愁予詩的修辭藝術　頁365－395

甘漢銓　從鐵達尼到金達尼——譯音仿詞例　頁397－411

吳禮權　論誇張　頁413－436

潘柏年　論修辭與聲韻的關係　頁437－460

郭　丹　《左傳》行人辭令之修辭藝術研究　頁461－480

彭嘉強　論演講的修辭美學效應　頁481－514

蔡宗陽　《文心雕龍》之反對類型　頁515－529

王明仁　人物年齡的模糊表達　頁531－549

仇小屏　平提側注法的理論與應用　頁551－573

許雅娟　笑話與修辭——以明·趙南星《笑贊》爲例　頁575－597

劉崇義　〈木蘭詩〉中的互文辭格考察　頁599－610

李芝瑩　寺廟楹聯中的修辭與內涵——以花蓮地區爲例　頁611－633

張高評　含蓄與詩歌語言——以宋代詩話爲例　頁635－659

訾　杰　大陸修辭學出版情況概要　頁661－666

王希杰　從《周易》談修辭學　頁667－681

王德春　論詞語的語體分化　頁683－696

加藤阿幸　日本的「修辭學發凡」以及「Rhetoric」的研究動向　頁697－711

2173　中國修辭學會、高雄師大國文系編　修辭論叢　第二輯　台北　洪葉文化事業公司　2000年7月初版

劉崇義　互文及其相關辭格的辨析　頁1－10

丁威仁　九〇年代台灣現代詩都市主題的多向變奏　頁11－47

陳素素　鄭子瑜韓文句法修訂之商榷　頁49－85

董錦燕　余光中詩裡的蓮花象徵　頁87－105

林佳樺　屈賦中的「類疊」修辭　頁107－159

蔡淑月　修辭與節奏　頁 161－191
陳滿銘　談「平提側收」的篇章結構　頁 193－213
陳佳君　論虛實章法的內涵　頁 215－248
仇小屏　試談字句與篇章修飾的分野　頁 249－284
鄭遠漢　修辭學流別論　頁 285－300
蔡宗陽　修辭與作文教學　頁 301－315
鄭頤壽　言語風格與「四六結構論」　頁 317－352
金正起　《水滸傳》人物語言藝術　頁 353－383
趙毅修辭理解策略初探　頁 385－406
柴春華　冰心散文語言的咀嚼韻味　頁 407－430
李名方　修辭學：言語表達學　頁 431－435
劉鳳玲　試論社會用語的特性　頁 437－452
袁　暉　漫談九十年代台灣的修辭學研究　頁 453－468
李金苓　北宋范溫修辭論　頁 469－485
黎運漢　修辭與文化背景　頁 487－513
程祥徽　格律的形成與變革　頁 515－529
徐思易　詩詞的語言藝術　頁 531－544
林文淑　《莊子》內篇的「譬喻」探析　頁 545－579
邱德修　蘇子〈超然臺記〉之修辭藝術　頁 581－603
張娣明　《唐詩三百首》中律詩修辭析論　頁 605－637
蘇珊玉　「看似尋常最奇崛，成如容易卻艱辛」的修辭藝術——以王維邊塞詩爲例　頁 639－673
潘柏年　國風譬喻修辭法分類研究　頁 675－718
黃肇基　《左傳義法》所見之《左傳》義法　頁 719－758
徐麗霞　莫那能詩歌的表現特色　頁 759－780
錢亦華　《南華經解》之修辭特色　頁 781－801
江聰平　對聯的修辭技巧　頁 803－821
李若鶯　論「借喻」與「象徵」、「借代」之異同　頁 823－846
濮　侃　漢語修辭格的發展和我們的新認識　頁 847－854

2174　中國修辭學會、銘傳大學應用中文系所、中國語文學會編　修辭論叢　第三輯　台北　洪葉文化事業公司　2001 年 6 月初版

林文淑　《莊子》內篇「轉化」修辭探析　頁 649－681
徐麗霞　從色彩修辭解讀張愛玲〈金鎖記〉　頁 682－716
袁　焱　王充的修辭觀：文質相稱　頁 717－729
潘柏年　巧聯修辭趣味析論──引用、雙關　頁 730－758
王興中、袁焱　談談比喻意象　頁 759－769
蔡宗陽　海峽兩岸對偶的名稱與分類之比較　頁 770－796
鄭垣玲　閨閣才女朱淑貞飲酒詩的修辭藝術　頁 797－822
劉昭仁　賴和的文學世界　頁 823－872
黃肇基　《孟子》之修辭藝術　頁 873－917
陳素素　韓愈〈原道〉句法修辭特色　頁 918－970
蔡謀芳　評述《修辭通鑑》的「變式比喻」　頁 971－994
李若鶯　「飛白」、「析字」與「雙關」在現代詩中的運用　頁 995－1026
張玲瑜　《牡丹亭》中情境空間的建構──就〈驚夢〉、〈尋夢〉二折論之　頁 1027－150
黃　河　會話話語的審美分析　頁 151－1061
邱德修　成語生成研究（一）　頁 1062－1090
龐蔚群　修辭現象的分析、欣賞和評改　頁 1091－1108
陳光磊　陳望道先生對修辭學的歷史貢獻　頁 1109－1113
陳滿銘　文章主旨置於篇外的謀篇形式──以詩詞為例　頁 1114－1143
張煉強　有關語序修辭的幾個原則性的問題　頁 1144－1163
錢奕華　修辭哲學中轉識成智過程之析論──以僧肇〈不真空論〉為例　頁 1164—1187

2175　中國修辭學會、輔仁大學國文系編　修辭論叢　第四輯　台北　洪葉文化事業公司　2002 年 6 月初版

陳滿銘　論章法與邏輯思維　頁 1－32
蔡宗陽　「修辭格」的辨析原則與命題技巧　頁 33－49
詹秀惠　漢語轉換詞結為名詞組的舵手：「所」、「攸」、「之」、「的」　頁 51－97
趙　毅　結構主義與現代漢語修辭學　頁 99－115

蘇恆雅　從《陶庵夢憶》與《西湖夢尋》的修辭表現論張岱遺民意識運用的策略　頁 727－761

許淑華　《史記》列傳「太史公曰」修辭藝術探析──以「設問」、「引用」為線索　頁 763－794

李鵑娟　李白古風聲情關係研究　頁 795－828

2176　中國修辭學會、台灣師大國文系編　修辭論叢　第五輯　台北　洪葉文化事業公司　2003 年 11 月初版

陳滿銘　論辭章的章法風格　頁 1－51

蔡宗陽　海峽兩岸設問的異稱與分類之比較　頁 52－61

莊惠茹　論先秦漢語助動詞「敢」字用法──以殷周金文為例　頁 62－96

施育龍　網路上的「諧聲」、「注音」、「顏文字」　頁 97－119

李麗文　《詩經》譬喻美學　頁 120－153

何永清　陳之藩散文的修辭藝術　頁 154－192

邱德修　《上博簡》(二)〈容成氏〉用字構詞研究　頁 193－219

陳忠信　國中國文雙關修辭法與語文教學應用—以電視廣告分析與創作為例　頁 220－250

蔡謀芳　辭格分合舉隅──以「轉化系統」為例　頁 251－262

陳室如　流行歌詞與修辭的關係──以金曲獎流行歌曲最佳作詞得獎作品為例(1990～2002)　頁 263－299

鄭嘉文　山水的遊覽，感官的饗宴──試論三袁遊記中的摹寫　頁 300－333

謝貴美　《雅舍小品》「譬喻」修辭藝術之窺探　頁 334－378

何修仁　從西方矯飾主義美學談余秋雨的散文修辭風格　頁 379－403

仇小屏　論章法結構的原型與變型──以遠近法、今昔法、因果法為考察對象　頁 404－440

黃麗娟　中山王譽壺銘文章法試析　頁 441－455

蔡淑月　《易經》古歌謠的修辭現象　頁 456－482

施筱雲　「天問」之設問修辭探討　頁 483－504

許秀美　〈晏子傳〉一文的篇旨及章法探析　頁 505－536

張娣明　元好問「主壯美」的詩學觀研究　頁 537－567
李慕如　析論宋詩諧趣形成與東坡諧體詩　頁 568－609
蒲基維　從辭章章法析論李煜詞的風格　頁 610－634
蘇珊玉　試論「不隔」的修辭藝術與審美教育　頁 635－665
盧宗賢　從殷墟甲骨文論中國修辭萌芽　頁 666－690
張俐雯　豐子愷時序散文的修辭藝術　頁 691－705
林欣怡　從修辭角度出發之批評觀點——評王若虛《滹南詩話》　頁 706－727
高光敏　柳宗元贈序文作法探析　頁 728－746
簡聖宗　論《大唐西域記》人物形象之塑造　頁 747－760
周娟娟　《韓非子．儲說》——類疊　頁 761－776
陳佳君　論章法的「四虛實」　頁 777－809
張春榮　修辭與相關聯想　頁 810－838
謝佳容　小說的多層次敘事——以《聊齋誌異》中「異史氏曰」爲例　頁 839－864
金明求　宋元話本小說中空間描寫之「對偶」修辭　頁 865－901
林興仁　論修辭要善於傾聽　頁 902－911
鄭頤壽　陳望道先生修辭學思想的兩度飛躍——陳、張一致論　頁 912－923
謝奇懿　論清真詞長調中的「回環往復」結構　頁 924－956
金華珍　顧炎武詩歌的「譬喻」修辭析論【附錄】顧詩中的「譬喻」修辭分類表　頁 957－990
魏聰祺　疊字的語言結構及修辭　頁 991－1016
潘柏年　蘇軾〈題西林壁〉賞析　頁 1017－1029
劉美玉　漫談中學修辭教學　頁 1030－1045
黎運漢　近二十多年來漢語風格學研究的成就和發展趨勢　頁 1046－1061
李興寧　史傳文學的敘事藝術——以魏晉時期別傳爲範圍　頁 1062－1103
詹秀惠　《論語》外位語法研究　頁 1104－1145
朴泰德　鍾嶸的比興觀　頁 1146－1161

舒兆民　台華諺語譬喻修辭的語用學分析初探　頁 1162－1193
許文齡　李漁《十二樓》中「引用」之探析　頁 1194－1213
鄭垣玲　奇峭幽麗的山水畫廊──柳宗元《永州八記》的內容情景與修辭藝術　頁 1214－1227
李鍾漢　韓國如何評論韓愈散文的藝術成就　頁 1228－1238
王錦慧　說「二」、「兩」、「再」的用法　頁 1239－1260
宋永程　陰鏗的〈渡青草湖〉詩　頁 1261－1279

2177　中國修辭學會、玄奘大學中文系編　修辭論叢　第六輯　台北　洪葉文化事業公司　2004 年 11 月初版
黃慶萱　修辭學的定位、方式、與展望　頁 1－8
王希杰　新世紀的修辭學──繼承和引進、創新和科學化　頁 9－29
張少康　文學特徵和修辭方法──從《文心雕龍》的「隱秀」、「夸飾」說起　頁 30－39
金惠淑　字母詞的使用現狀論綱　頁 40－50
袁　暉　談談語體的通用成分、專用成分和跨體成分　頁 51－66
李熙宗　關於語體的定義問題　頁 67－97
胡范鑄　試論漢語修辭學與語用學整合的可能　頁 98－113
鄭頤壽　辭章學及其新學科建設　頁 114－134
張慧貞　兩岸辭章學研究和語文教學隅談　頁 135－152
黎運漢　論漢語風格學的傳統　頁 153－162
劉美玉　漫談中學修辭教學　頁 163－178
程祥徽　孔子的言語學　頁 179－185
黃坤堯　杜詩雙聲疊韻的修辭分析　頁 186－212
金明求　宋元話本小說中「人物描寫」之敘述形式──小說修辭學之適用　頁 213－248
崔成宗　長聯修辭藝術初探　頁 249－266
李　李　試探袁小修遊記小品的修辭章法　頁 267－288
陳素素　韓愈贈方外友序篇章修辭特色略探　頁 289－311
陳敬介　試從夸飾角度論謫仙李白之創生　頁 312－331
黃文正　台灣閩南方言歇後語中的雙關趣味　頁 332－350

陳滿銘　意象與辭章　頁 351－375
舒兆民　禮貌原則下的漢語口語修辭研究——以「要求」、「拒絕」、「抱怨」、「不同意」爲範圍　頁 376—398
張春榮　「比喻」運用原則的考察　頁 399—413
何永清　從《精緻的年代》看張繼高先生散文的修辭　頁 414－441
李翠瑛　論現代詩中的懸想示現　頁 442－460
蔡雅薰　獨語與對話的複音合唱——黃娟移民小說語言新詮　頁 461－480
余培林　《詩經》中的照應語句　頁 481－494
何淑貞　陶淵明詩序的藝術美　頁 495－511
沈　謙　口語傳播中的諧音雙關與詞義雙關　頁 512－535
鄭明娳　論〈上海的狐步舞〉的形式藝術　頁 536－547
施筱雲　《莊子》寓言中的人物形象對比　頁 548－570
黃素卿　陶潛五言詩用典修辭探討　頁 571－589
王玲月　《說苑・正諫》之勸說藝術探討　頁 590－608
魏聰祺　「同異」格之分類　頁 609－637
許淑華　《史記》合傳修辭藝術探析　頁 638－657
周碧香　《花影集》對偶現象探析　頁 658－676
仇小屏　論雙軌式綱領——以新詩爲考察對象　頁 677－700
蘇珊玉　談「通感」修辭的文藝美感　頁 701－719
溫光華　《文心雕龍》贊語的修辭策略與藝術　頁 720－737

附：第七屆中國修辭學國際學術研討會論文

時間：2006 **年** 5 **月** 12－13 **日（東吳大學中國文學系承辦）**

王　堯　文革地下文學之修辭現象
金明求　明清話本小說中鬼魂顯現之修辭藝術
金正起　談水滸傳裏的象徵藝術
羅時進　晚唐詠史詩的修辭藝術
陳滿銘　意象與聯想、想像互動論——以「多」、「二」、「一（0）」

螺旋結構切入作考察
嚴　明　繡房中的稱謂及愛情表達——「三言二拍」中婆子、丫嬛、尼姑的角色分析
蔡宗陽　海峽兩岸夸飾的異稱與分類之比較
李慕如　由遊記文學《徐霞客遊記・黃山日記》之講授言其寫作技法舉隅
李　李　袁小修傳記小品探析
侯淑娟　北曲九轉【貨郎兒】之修辭技巧析論
黃登山　中國古典詩文常用的寫作技巧——以唐宋詩文爲例
魏聰祺　反諷之內涵與分類
張春榮、顏藹珠　西洋電影口語修辭的特色
羅麗容　元雜劇「程式化語言」研究
陳慷玲　敘事觀點下的清真詞法
鍾正道　論張愛玲小說的電影化並置修辭
蒲基維　辭章「修辭風格」初探——以古典詩詞爲考察對象
仇小屏　論譬喻中之喻解——以現代散文爲考察對象
陳素素　曹植〈洛神賦〉修辭探究
林伯謙　《文選》收錄曹植與吳質往來書信之研究

附 錄

參考書目舉要

中文報紙論文分類索引（1962－1990）　國立政治大學社會科學資料中心　1963年2月－1991年
中國近二十年文史哲論文分類索引　國立中央圖書館編　1970年11月
中外文學論文索引・增訂版　中外文學月刊社編輯部　1972年6月－1992年5月
中華民國期刊論文索引彙編（　民國66－78年）　國立中央圖書館編　1978年起
教育論文摘要（1－19）　國立台灣師範大學圖書館　1978年6月－1996年6月
唐代文學論著集目　羅聯添編　台灣學生書局　1979年7月初版
中國文化研究論文目錄（一、二、三、五冊）　國立中央圖書館編　台北　台灣商務印書館　1982年12月
中文報紙文史哲論文索引（第一冊）　張錦郎編　台北　正中書局　1975年5月
經學研究論著目錄：1912－1987　林慶彰主編　台北　漢學研究中心　1989年12月
經學研究論著目錄：1988－1992　林慶彰主編　台北　漢學研究中心　1995年6月
經學研究論著目錄：1993－1997　林慶彰、陳恆嵩主編　台北　漢學研究中心　2002年4月
台灣地區漢學論著選目彙編本（民國76－80年）　台北　漢學研究中心編　1988年4月－1992年6月
近十年台灣地區清代文學研究論著目錄（初稿）（1985－1994）　林美蘭編　清代學術研究通訊　第1期　頁45－74　1995年11月
中外六朝文學研究文獻目錄(增訂版）　洪順隆主編　台北　漢學研究中心　1992年6月
朱子學研究書目：1900－1991　林慶彰主編　台北　文津出版社　1995年5月
詞學研究書目：1912－1992　黃文吉主編　台北　文津出版社　1993年4月
乾嘉學術研究論著目錄：1900－1993　林慶彰主編　台北　中央研究院中國文哲研究所籌備處　1995年5月
詞學論著目錄：1901－1992　林玫儀主編　台北　中央研究院中國文哲研究所　1995年6月

臺灣出版中國文學史書目提要（1949－1994）　黃文吉、連文萍主編　台北　萬卷樓圖書公司　1996 年 2 月

中國文學論著集目正編（1－7）　王國良等編　台北　五南圖書出版公司　1996 年 7 月

兩漢諸子研究論著目錄：1912－1996　陳麗桂主編　台北　漢學研究中心　1998 年 4 月

敦煌學研究論著目錄：1908－1997　鄭阿財、朱鳳玉主編　台北　漢學研究中心　2000 年 4 月

敦煌學研究論著目錄：1998－2005　鄭阿財、朱鳳玉主編　台北　樂學書局　2006 年 8 月

十三經論著目錄：（一）～（八）　董金裕等編　台北　洪葉文化事業公司　2000 年 6 月

兩漢諸子研究論著目錄：1997－2001　陳麗桂主編　台北　漢學研究中心　2003 年 9 月

1998 年中國古典文學研究論著目錄（上）　黃文吉、孫秀玲編　中國古典文學研究　第 1 期　頁 185－215　1999 年 6 月

1998 年中國古典文學研究論著目錄（下）　黃文吉、孫秀玲編　中國古典文學研究　第 2 期　頁 225－246　1999 年 12 月

1999 年中國古典文學研究論著目錄　王國良、譚惠文編　中國古典文學研究　第 3 期　頁 151－197　2000 年 6 月

臺港蘇軾研究論著目錄：1949－1999　衣若芬　漢學研究通訊　20 卷 2 期（總 78 期）　頁 180－200　2001 年 5 月

魏晉玄學研究論著目錄：1884－2004　林麗真主編　台北　漢學研究中心　2005 年 11 月

作者索引

【說明】：

本索引按照作者姓名筆畫多寡排列，同筆畫再依第一筆之點、橫、直、撇爲序。

〔一〕

九畫

〔、〕

〔一〕

〔丨〕

十畫

十二畫

〔、〕

國家圖書館出版品預行編目資料

近五十年台灣地區修辭學研究論著目錄
(1949-2005)／溫光華編著. -- 初版. -- 臺北
市：萬卷樓, 2007[民 96]
面；　　公分
參考書目：面
含索引
ISBN 978－957－739－593－1 (平裝)
1. 修辭學－目錄

016.802　　96007887

近五十年台灣地區修辭學研究論著目錄
(1949-2005)

編　　者：溫光華
發 行 人：陳滿銘
出 版 者：萬卷樓圖書股份有限公司
臺北市羅斯福路二段 41 號 6 樓之 3
電話(02)23216565 · 23952992
傳真(02)23944113
劃撥帳號 15624015
出版登記證：新聞局局版臺業字第 5655 號
網　　址：http://www.wanjuan.com.tw
E - mail：wanjuan@tpts5.seed.net.tw
承印廠商：中茂分色製版印刷事業股份有限公司
定　　價：240 元
出版日期：2007 年 5 月初版

ISBN：978－957－739－593－1